Frank

Lulu

Erdgeist

Die Büchse der Pandora

Herausgegeben von
Erhard Weidl

Reclam

Zu Wedekinds *Lulu* gibt es bei Reclam

- *Erläuterungen und Dokumente* (Nr. 16046)
- eine Interpretation in: *Dramen des 20. Jahrhunderts* in
  der Reihe »Interpretationen« (Nr. 9460)

RECLAMS UNIVERSAL-BIBLIOTHEK Nr. 8567
1989 Philipp Reclam jun. GmbH & Co. KG,
Siemensstraße 32, 71254 Ditzingen
Druck und Bindung: Canon Deutschland Business Services GmbH
Siemensstraße 32, 71254 Ditzingen
Printed in Germany 2018
RECLAM, UNIVERSAL-BIBLIOTHEK und
RECLAMS UNIVERSAL-BIBLIOTHEK sind eingetragene Marken
der Philipp Reclam jun. GmbH & Co. KG, Stuttgart
ISBN 978-3-15-008567-7

www.reclam.de

Erdgeist

Tragödie in vier Aufzügen

»Mich schuf aus gröberm Stoffe die Natur,
Und zu der Erde zieht mich die Begierde.
Dem bösen Geist gehört die Erde, nicht
Dem guten. Was die Göttlichen uns senden
Von oben, sind nur allgemeine Güter;
Ihr Licht erfreut, doch macht es keinen reich,
In ihrem Staat erringt sich kein Besitz.
Den Edelstein, das allgeschätzte Gold
Muß man den falschen Mächten abgewinnen,
Die unterm Tage schlimmgeartet hausen.
Nicht ohne Opfer macht man sie geneigt,
Und keiner lebet, der aus ihrem Dienst
Die Seele hätte rein zurückgezogen.«

Willy Grétor
gewidmet

Personen

Medizinalrat DR. GOLL
DR. SCHÖN, Chefredakteur
ALWA, sein Sohn
SCHWARZ, Kunstmaler
PRINZ ESCERNY, Afrikareisender
SCHIGOLCH
RODRIGO, Artist
HUGENBERG, Gymnasiast
ESCHERICH, Reporter
LULU
GRÄFIN GESCHWITZ, Malerin
FERDINAND, Kutscher
HENRIETTE, Zimmermädchen
Ein BEDIENTER

Die Rolle HUGENBERG wird von einem Mädchen gespielt.

Rechts und links vom Zuschauer aus.

Prolog

Ein TIERBÄNDIGER *tritt, nachdem der aufgezogene Vorhang einen
Zelteingang hat sichtbar werden lassen, in zinnoberrotem Frack, weißer Krawatte, langen schwarzen Locken, weißen Beinkleidern und
5 Stulpstiefeln, in der Linken eine Hetzpeitsche, in der Rechten einen
geladenen Revolver, unter Zimbelklängen und Paukenschlägen aus
dem Zelt.*

Hereinspaziert in die Menagerie,
Ihr stolzen Herrn, ihr lebenslust'gen Frauen,
10 Mit heißer Wollust und mit kaltem Grauen
Die unbeseelte Kreatur zu schauen,
Gebändigt durch das menschliche Genie.
Hereinspaziert, die Vorstellung beginnt! –
Auf zwei Personen kommt umsonst ein Kind.

15 Hier kämpfen Tier und Mensch im engen Gitter,
Wo jener höhnend seine Peitsche schwingt
Und dieses, mit Gebrüll wie Ungewitter,
Dem Menschen mörderisch an die Kehle springt;
Wo bald der Kluge, bald der Starke siegt,
20 Bald Mensch, bald Tier geduckt am Estrich liegt;
Das Tier bäumt sich, der Mensch auf allen vieren!
Ein eisig kalter Herrscherblick –
Die Bestie beugt entartet das Genick
Und läßt sich fromm die Ferse drauf postieren.

25 Schlecht sind die Zeiten! – All die Herrn und Damen,
Die einst vor meinem Käfig sich geschart,
Beehren Possen, Ibsen, Opern, Dramen
Mit ihrer hochgeschätzten Gegenwart.
An Futter fehlt es meinen Pensionären,
30 So daß sie gegenseitig sich verzehren.
Wie gut hat's am Theater ein Akteur!

Des Fleischs auf seinen Rippen ist er sicher,
Sei auch der Hunger ein ganz fürchterlicher
Und des Kollegen Magen noch so leer. –
Doch will man Großes in der Kunst erreichen,
Darf man Verdienst nicht mit dem Lohn vergleichen.   5

Was seht ihr in den Lust- und Trauerspielen?! –
H a u s t i e r e , die so wohlgesittet fühlen,
An blasser Pflanzenkost ihr Mütchen kühlen
Und schwelgen in behaglichem Geplärr,
Wie jene andern – unten im Paterre: 10
Der eine Held kann keinen Schnaps vertragen,
Der andre zweifelt, ob er richtig liebt,
Den dritten hört ihr an der Welt verzagen,
Fünf Akte lang hört ihr ihn sich beklagen,
Und niemand, der den Gnadenstoß ihm gibt. –   15
Das w a h r e Tier, das w i l d e , s c h ö n e Tier,
Das – meine Damen! – sehn Sie nur bei mir.

Sie sehen den T i g e r , der gewohnheitsmäßig,
Was in den Sprung ihm läuft, hinunterschlingt;
Den B ä r e n , der, von Anbeginn gefräßig,   20
Beim späten Nachtmahl tot zu Boden sinkt;
Sie sehn den kleinen amüsanten A f f e n
Aus Langeweile seine Kraft verpaffen;
Er hat Talent, doch fehlt ihm jede Größe,
Drum kokettiert er frech mit seiner Blöße;   25
Sie sehn in meinem Zelte, meiner Seel',
Sogar gleich hinterm Vorhang ein K a m e l ! –
Und sanft schmiegt das Getier sich mir zu Füßen,
Wenn – *(er schießt ins Publikum)*
        – donnernd mein Revolver knallt.   30
Rings bebt die Kreatur; ich bleibe kalt –
Der M e n s c h bleibt kalt ! – Sie ehrfurchtsvoll zu
grüßen.

Hereinspaziert! – Sie traun sich nicht herein? –
Wohlan, Sie mögen selber Richter sein!
Sie sehn auch das Gewürm aus allen Zonen:
Chamäleone, Schlangen, Krokodile,
5 Drachen und Molche, die in Klüften wohnen.
Gewiß, ich weiß, Sie lächeln in der Stille
Und glauben mir nicht eine Silbe mehr –
(er lüftet den Türvorhang und ruft in das Zelt)
He, Aujust! Bring mir unsre S c h l a n g e her!
10 *(Ein schmerbäuchiger Arbeiter trägt die Darstellerin der* LULU
*in ihrem Pierrotkostüm aus dem Zelt und setzt sie vor dem
Tierbändiger nieder.)*
Sie ward geschaffen, Unheil anzustiften,
Zu locken, zu verführen, zu vergiften –
15 Zu morden, ohne daß es einer spürt.

(Lulu am Kinn krauend.)
Mein süßes Tier, sei ja nur nicht g e z i e r t !
Nicht a l b e r n , nicht g e k ü n s t e l t , nicht
v e r s c h r o b e n ,
20 Auch wenn die Kritiker dich weniger loben.
Du hast kein Recht, uns durch Miaun und Fauchen
Die U r g e s t a l t des W e i b e s zu verstauchen,
Durch Faxenmachen uns und Fratzenschneiden
Des L a s t e r s K i n d e r e i n f a l t zu verleiden!
25 Du sollst – drum sprech' ich heute sehr ausführlich –
N a t ü r l i c h sprechen und nicht unnatürlich!
Denn erstes Grundgesetz seit frühster Zeit
In jeder Kunst war S e l b s t v e r s t ä n d l i c h k e i t !

(Zum Publikum.)
30 Es ist jetzt nichts Besondres dran zu sehen,
Doch warten Sie, was später wird geschehen:

Mit starkem Druck umringelt sie den Tiger;
Er heult und stöhnt! – Wer bleibt am Ende Sieger?! –

Hopp, Aujust! Marsch! Trag sie an ihren Platz –
(Der Arbeiter nimmt Lulu quer auf die Arme; der Tierbändiger
tätschelt ihr die Hüften.)
Die süße Unschuld – meinen größten Schatz!
(Der Arbeiter trägt Lulu ins Zelt zurück.)   5

Und nun bleibt noch das Beste zu erwähnen:
Mein Schädel zwischen eines Raubtiers Zähnen.
Hereinspaziert! Das Schauspiel ist nicht neu,
Doch seine Freude hat man stets dabei.
Ich wag' es, ihm den Rachen aufzureißen,   10
Und dieses Raubtier wagt nicht zuzubeißen.
So s c h ö n es ist, so w i l d und b u n t g e f l e c k t ,
Vor meinem Schädel hat das Tier Respekt!
Getrost leg' ich mein Haupt ihm in den Rachen;
Ein W i t z – und meine beiden Schläfen krachen!   15
Dabei verzicht' ich auf des Auges Blitz;
Mein L e b e n setz' ich gegen e i n e n Witz;
Die Peitsche werf' ich fort und diese Waffen
Und geb' mich h a r m l o s , wie mich Gott geschaffen. –
Wißt ihr den Namen, den dies Raubtier führt? – –   20
Verehrtes Publikum – – Hereinspaziert!!
(Der Tierbändiger tritt unter Zimbelklängen und Pauken-
schlägen in das Zelt zurück.)

Erster Aufzug

Geräumiges Atelier. – Rechts hinten Entreetür, rechts vorn Seitentür zum Schlafkabinett. In der Mitte ein Podium. Hinter dem Podium eine spanische Wand. Vor dem Podium ein Smyrnateppich. Links vorn
5 *zwei Staffeleien. Auf der hinteren das Brustbild eines jungen Mädchens. Gegen die vordere lehnt eine umgekehrte Leinwand. Vor den Staffeleien, etwas gegen die Mitte vorn, eine Ottomane. Darüber ein Tigerfell. Rechts an der Wand zwei Sessel. Im Hintergrund eine Tritt-leiter.*

10 ## Erster Auftritt

SCHWARZ *und* SCHÖN.

SCHÖN *(auf dem Fußende der Ottomane sitzend, mustert das Brust-bild auf der hinteren Staffelei).* Wissen Sie, daß ich die Dame von einer ganz neuen Seite kennen lerne?

15 SCHWARZ *(Pinsel und Palette in der Hand, steht hinter der Otto-mane).* Ich habe noch niemanden gemalt, bei dem der Ge-sichtsausdruck so ununterbrochen wechselte. – Es war mir kaum möglich, einen einzigen Zug dauernd festzuhalten.

SCHÖN *(auf das Bild deutend, ihn ansehend).* Finden Sie das darin?

20 SCHWARZ. Ich habe das Erdenklichste getan, um durch meine Unterhaltung während der Sitzungen wenigstens etwas Ruhe in der Stimmung hervorzurufen.

SCHÖN. Dann verstehe ich den Unterschied.

SCHWARZ *(taucht den Pinsel ins Ölnäpfchen und überstreicht die*
25 *Gesichtszüge).*

SCHÖN. Glauben Sie, es wird dadurch ähnlicher?

SCHWARZ. Man kann nicht mehr tun, als es mit der Kunst so gewissenhaft wie möglich nehmen.

SCHÖN. Sagen Sie mal . . .

30 SCHWARZ *(zurücktretend).* Die Farbe ist auch wieder etwas ein-geschlagen.

SCHÖN *(ihn ansehend).* Haben Sie jemals in Ihrem Leben ein Weib geliebt?

SCHWARZ *(geht auf die Staffelei zu, setzt eine Farbe auf und tritt auf der anderen Seite zurück)*. Der Stoff ist noch nicht genügend abgehoben. Man sieht noch nicht recht, daß ein lebender Körper darunter ist.

SCHÖN. Ich zweifle nicht daran, daß die Arbeit gut ist.   5

SCHWARZ. Wenn Sie hierhertreten wollen.

SCHÖN *(sich erhebend)*. Sie müssen ihr wahre Schauergeschichten erzählt haben.

SCHWARZ. So weit wie möglich zurück.

SCHÖN *(zurücktretend, stößt die an die vordere Staffelei gelehnte*   10
Leinwand um). Pardon . . .

SCHWARZ *(den Rahmen aufhebend)*. O bitte . . .

SCHÖN *(betroffen)*. Was ist das . . .

SCHWARZ. Kennen Sie sie?

SCHÖN. Nein.   15

SCHWARZ *(setzt das Bild auf die Staffelei. Man sieht eine Dame als Pierrot gekleidet mit einem hohen Schäferstab in der Hand)*. Ein Kostümbild.

SCHÖN. Die ist Ihnen aber gelungen.

SCHWARZ. Sie kennen sie?   20

SCHÖN. Nein. Und in dem Kostüm?

SCHWARZ. Es fehlt noch die ganze Ausführung.

SCHÖN. Na ja.

SCHWARZ. Was wollen Sie. Während sie mir steht, habe ich das Vergnügen, ihren Mann zu unterhalten.   25

SCHÖN. Sagen Sie . . .

SCHWARZ. Über Kunst natürlich, um mein Glück zu vervollständigen.

SCHÖN. Wie kommen Sie denn zu der reizenden Bekanntschaft?   30

SCHWARZ. Wie man dazu kommt. Ein steinalter, wackliger Knirps fällt mir hier herein, ob ich seine Frau malen könne. Nun natürlich, und wenn sie runzlig wie Mutter Erde ist. Andern Tags Punkt zehn fliegen die Türen auf, und der Schmerbauch treibt dies Engelskind vor sich her. Ich fühle   35
jetzt noch, wie mir die Knie schwankten. Ein stocksteifer,

saftgrüner Lakai mit einem Paket unter dem Arm. Wo die
Garderobe sei. Denken Sie sich meine Lage. Ich öffne die
Tür da *(nach rechts deutend)*. Nur ein Glück, daß schon alles
in Ordnung war. Das süße Geschöpf huscht hinein, und
5   der Alte postiert sich als Schanzkorb davor. Zwei Minuten
darauf tritt sie in diesem Pierrot heraus. *(Den Kopf schüttelnd)*. Ich habe nie so was gesehen. *(Geht nach rechts und
starrt an die Schlafzimmertür hin)*.

SCHÖN *(der ihm mit dem Blick gefolgt)*. Und der Schmerbauch
10   steht Schildwache?

SCHWARZ *(sich umwendend)*. Der ganze Körper im Einklang
mit dem unmöglichen Kostüm, als wäre er darin zur Welt
gekommen. Ihre Art, die Ellbogen in die Taschen zu ver-
graben, die Füßchen vom Teppich zu heben – mir schießt
15   oft das Blut zu Kopf . . .

SCHÖN. Das sieht man dem Bild an.

SCHWARZ *(kopfschüttelnd)*. Unsereiner, wissen Sie . . .

SCHÖN. Hier führt das Modell die Konversation.

SCHWARZ. Sie hat den Mund noch nicht aufgetan.

20   SCHÖN. Ist's möglich!

SCHWARZ. Erlauben Sie, daß ich Ihnen das Kostüm zeige.
(Nach rechts ab.)

SCHÖN *(allein, vor dem Pierrot)*. Eine Teufelsschönheit. *(Vor
dem Brustbild.)* Hier ist mehr Fond. *(Nach vorn kommend.)* Er
25   ist noch etwas jung für sein Alter.

SCHWARZ *(kommt mit einem weißen Atlaskostüm zurück)*. Was das
für Stoff sein mag?

SCHÖN *(den Stoff befühlend)*. Atlas.

SCHWARZ. Und alles in einem Stück.

30   SCHÖN. Wie kommt man denn da hinein?

SCHWARZ. Das kann ich Ihnen nicht sagen.

SCHÖN *(das Kostüm bei den Beinen nehmend)*. Diese riesigen
Hosenpfeifen!

SCHWARZ. Die linke rafft sie hinauf.

35   SCHÖN *(auf das Bild sehend)*. Bis übers Knie!

SCHWARZ. Sie macht das zum Entzücken.

SCHÖN. Und transparente Strümpfe?

SCHWARZ. Die wollen nämlich gemalt sein.

SCHÖN. Oh, das können Sie.

SCHWARZ. Dabei von einer Koketterie!

SCHÖN. Wie kommen Sie auf den entsetzlichen Verdacht?   5

SCHWARZ. Es gibt Dinge, von denen sich unsere Schulweisheit nichts träumen läßt. *(Trägt das Kostüm in sein Schlafzimmer.)*

SCHÖN *(allein)*. Wenn man schläft . . .

SCHWARZ *(kommt zurück, sieht nach der Uhr)*. Wenn Sie übrigens 10
ihre Bekanntschaft machen wollen . . .

SCHÖN. Nein.

SCHWARZ. Sie müssen im Augenblicke hier sein.

SCHÖN. Wie oft wird denn die Dame noch sitzen müssen?

SCHWARZ. Ich werde die Tantalusqual wohl noch ein Viertel- 15
jahr zu erdulden haben.

SCHÖN. Ich meine die andere.

SCHWARZ. Entschuldigen Sie. Dreimal höchstens. *(Ihn zur Tür
geleitend.)* Wenn mir die Dame dann nur ihre Taille dalassen
will.   20

SCHÖN. Mit Vergnügen. Lassen Sie sich bald wieder bei mir
sehen. *(Stößt in der Tür auf Dr. Goll und Lulu.)* In Gottes
Namen!

Zweiter Auftritt

DR. GOLL. LULU. DIE VORIGEN.   25

SCHWARZ. Darf ich vorstellen . . .

GOLL *(zu Schön)*. Was treiben denn Sie hier?

SCHÖN *(Lulu die Hand küssend)*. Frau Medizinalrat.

LULU. Sie wollen doch nicht schon gehen?

GOLL. Welcher Wind führt denn Sie hierher?   30

SCHÖN. Ich habe mir das Bild meiner Braut angesehen.

LULU *(nach vorn kommend)*. Ihre Braut ist hier?

GOLL. Sie lassen hier also auch arbeiten?

LULU *(vor dem Brustbild)*. Sieh da! Bezaubernd! Entzückend!

GOLL *(sich umsehend)*. Sie halten sie wohl hier irgendwo versteckt?

LULU. Das ist also das süße Wunderkind, das Sie zu einem
5   Menschen gemacht . . .

SCHÖN. Sie sitzt meistens am Nachmittag.

GOLL. Und davon erzählen Sie einem nichts?

LULU *(sich umwendend)*. Ist sie denn wirklich so ernst?

SCHÖN. Wohl noch die Nachwirkung der Pensionszeit, gnä-
10   dige Frau.

GOLL *(vor dem Brustbild)*. Man sieht, daß Sie eine tiefgehende
    Wandlung durchgemacht haben.

LULU. Nun dürfen Sie sie aber auch nicht mehr länger warten
    lassen.

15 SCHÖN. In vierzehn Tagen denke ich unsere Verlobung bekanntzumachen.

GOLL *(zu Lulu)*. Laß uns keine Zeit verlieren. Hopp!

LULU *(zu Schön)*. Denken Sie, wir fuhren im Trab über die
    neue Kaibrücke. Ich habe selber kutschiert.

20 SCHÖN *(will sich verabschieden)*.

GOLL. Nein, nein. Wir beide sprechen nachher weiter. Geh,
    Nelli. Hopp!

LULU. Jetzt kommt's an mich!

GOLL. Unser Apelles leckt sich schon die Pinsel ab.

25 LULU. Ich hatte mir das viel amüsanter vorgestellt.

SCHÖN. Sie haben dabei immerhin die Genugtuung, uns den
    seltensten Genuß zu bereiten.

LULU *(nach rechts gehend)*. Na, warten Sie nur.

SCHWARZ *(vor der Schlafzimmertür)*. Wenn Frau Obermedizi-
30   nalrat so freundlich sein wollen. *(Schließt die Tür hinter ihr
    und bleibt davor stehen.)*

GOLL. Ich habe sie in unserm Ehekontrakt nämlich Nelli ge-
    tauft.

SCHÖN. So? – Ja.

35 GOLL. Was halten Sie davon?

SCHÖN. Warum nennen Sie sie nicht lieber Mignon?

GOLL. Das wäre auch was. Daran habe ich nicht gedacht.

SCHÖN. Glauben Sie, daß der Name soviel dabei ausmacht?

GOLL. Hm – Sie wissen, ich habe keine Kinder.

SCHÖN *(sein Zigarettenetui aus der Tasche nehmend).* Sie sind doch aber auch erst ein paar Monate verheiratet. 5

GOLL. Danke. Ich wünsche mir keine.

SCHÖN. Rauchen Sie ein Zigarette?

GOLL *(sich bedienend).* Ich habe an dem einen vollkommen genug. *(Zu Schwarz.)* Sagen Sie mal, was macht denn eigentlich Ihre kleine Tänzerin? 10

SCHÖN *(sich nach Schwarz umwendend).* Sie und eine Tänzerin?

SCHWARZ. Die Dame saß mir damals nur aus Gefälligkeit. Ich kenne die Dame von einem Ausflug des Cäcilienvereins her.

GOLL *(zu Schön).* Hm – ich glaube, wir kriegen anderes Wetter. 15

SCHÖN. Das geht wohl nicht so rasch mit der Toilette?

GOLL. Das geht wie der Blitz! Die Frau muß Virtuosin in ihrem Fach sein. Das muß jeder von uns in seinem Fach, wenn das Leben nicht zur Bettelei werden soll. *(Ruft.)* Hopp, Nelli! 20

SCHWARZ *(an der Tür).* Frau Obermedizinalrat!

LULU *(von innen).* Gleich, gleich.

GOLL *(zu Schön).* Ich begreife solche Stockfische nicht.

SCHÖN. Ich beneide sie. Diese Stockfische kennen nichts Heiligeres als ihr Hungertuch. Sie fühlen sich reicher als unser- 25 einer mit 30 000 Mark Renten. Sie können übrigens nicht über einen Menschen urteilen, der von Kindesbeinen an von der Palette in den Mund gelebt hat. Nehmen Sie es auf sich, ihn zu finanzieren. Es ist ein Rechenexempel. Mir fehlt der moralische Mut. Man verbrennt sich auch leicht 30 die Finger . . .

LULU *(als Pierrot aus dem Schlafzimmer tretend).* Da bin ich.

SCHÖN *(wendet sich um, nach einer Pause).* Superb!

LULU *(tritt näher).* Nun?

SCHÖN. Sie beschämen die kühnste Phantasie. 35

LULU. Wie gefall' ich Ihnen?

SCHÖN. Ein Bild, vor dem die Kunst verzweifeln muß.

GOLL. Finden Sie nicht auch?

SCHÖN *(zu Lulu)*. Sie wissen doch wohl nicht recht, was Sie tun.

5 LULU. Ich bin mir meiner vollkommen bewußt!

SCHÖN. Dann dürften Sie etwas besonnener sein.

LULU. Ich tue ja doch nur meine Schuldigkeit.

SCHÖN. Sie sind gepudert?

LULU. Was fällt Ihnen ein!

10 GOLL. Sie hat eine weiße Haut, wie ich sie noch nirgends gesehen habe. Ich habe unserem Raffael auch gesagt, er möge sich mit dem Fleisch nur ja so wenig wie möglich abgeben. Ich kann mich einmal für die moderne Klexerei nicht begeistern.

15 SCHWARZ *(an den Staffeleien, seine Farben präparierend)*. Dem Impressionismus dankt es die heutige Kunst jedenfalls, daß sie sich alten Meistern ohne Erröten an die Seite stellen darf.

GOLL. Für ein Stück Schlachtvieh mag sie ja ganz angebracht
20 sein.

SCHÖN. Nur um Gottes willen keine Aufregung!

LULU *(fällt Goll um den Hals und küßt ihn)*.

GOLL. Man sieht dein Negligé. Du mußt es herunterziehen.

LULU. Ich hätte es am liebsten weggelassen. Es geniert nur.

25 GOLL. Er wäre imstande und malte es hin.

LULU *(nimmt den Schäferstab, der an der spanischen Wand lehnt, auf das Podium steigend, zu Schön)*. Was würden Sie jetzt sagen, wenn Sie zwei Stunden Parade stehen müßten?

SCHÖN. Meine Seele verschriebe ich dem Teufel, um mit
30 Ihnen tauschen zu dürfen.

GOLL *(sich rechts setzend)*. Kommen Sie hierher. Hier ist näm-lich mein Beobachtungsposten.

LULU *(das linke Beinkleid bis zum Knie hinaufraffend, zu Schwarz)*. So?

35 SCHWARZ. Ja ...

LULU *(es um eine Idee höher raffend)*. So?

SCHWARZ. Ja, ja . . .

GOLL *(zu Schön, der auf dem Sessel neben ihm Platz genommen hat, mit einer Handbewegung).* Ich finde sie nämlich von hier aus noch vorteilhafter.

LULU *(ohne sich zu rühren).* Ich bitte sehr! Ich bin von allen Seiten gleich vorteilhaft.

SCHWARZ *(zu Lulu).* Das rechte Knie weiter vor, bitte.

SCHÖN *(mit einer Geste).* Der Körper zeigt vielleicht feinere Linien . . .

SCHWARZ. Die Beleuchtung ist heute zum mindesten halbwegs erträglich.

GOLL. Sie müssen sie flott hinwerfen! Fassen Sie Ihren Pinsel etwas länger!

SCHWARZ. Gewiß, Herr Medizinalrat.

SCHÖN. Behandeln Sie sie als Stilleben!

SCHWARZ. Gewiß, Herr Doktor. *(Zu Lulu.)* Sie pflegten den Kopf um eine Idee höher zu halten, Frau Medizinalrat.

LULU *(den Kopf hebend).* Malen Sie mir die Lippen etwas geöffnet.

SCHÖN. Malen Sie Schnee auf Eis. Wenn Sie sich dabei erwärmen, dann wird Ihre Kunst sofort unkünstlerisch.

SCHWARZ. Gewiß, Herr Doktor!

GOLL. Die Kunst, wissen Sie, muß die Natur so wiedergeben, daß man wenigstens g e i s t i g dabei genießen kann!

LULU *(den Mund etwas öffnend, zu Schwarz).* So – sehen Sie. So halte ich sie halb geöffnet.

SCHWARZ. Sobald die Sonne kommt, wirft die Mauer von gegenüber warme Reflexe herein.

GOLL *(zu Lulu).* Du mußt dich in deiner Stellung überhaupt so verhalten, als ob unser Velasquez hier gar nicht vorhanden wäre.

LULU. Ein Maler ist doch auch eigentlich gar kein Mann.

SCHÖN. Ich glaube nicht, daß Sie von einer rühmlichen Ausnahme so ohne weiteres auf die ganze Zunft schließen dürfen.

SCHWARZ *(von der Staffelei zurücktretend).* Ich hätte mir im ver-

gangenen Herbst doch lieber ein anderes Atelier mieten
müssen.

SCHÖN *(zu Goll)*. Was ich fragen wollte – haben Sie die kleine
O'Morphi schon als peruanische Perlenfischerin gesehen?

5 GOLL. Morgen sehe ich sie mir zum viertenmal an. Der Fürst
Polossow führte mich hin. Sein Haar ist vor Entzücken
schon wieder dunkelblond geworden.

SCHÖN. Sie finden sie also auch so fabelhaft?

GOLL. Wer will das je im voraus beurteilen!

10 LULU. Ich glaube, es hat geklopft.

SCHWARZ. Entschuldigen Sie mich einen Augenblick. *(Geht
zur Türe und öffnet.)*

GOLL. Du darfst ihn getrost etwas unbefangener anlächeln.

SCHÖN. Dem macht das gar nichts.

15 GOLL. Und wenn! – Wozu sitzen wir beide denn hier!

Dritter Auftritt

ALWA SCHÖN. DIE VORIGEN.

ALWA *(noch hinter der spanischen Wand)*. Darf man eintreten?

SCHÖN. Mein Sohn.

20 LULU. Das ist ja Herr Alwa!

GOLL. Kommen Sie nur ungeniert herein!

ALWA *(vortretend, reicht Schön und Goll die Hand)*. Herr Medizinalrat . . . *(Sich nach Lulu umwendend.)* Seh ich recht? – Wenn
ich Sie doch nur für meine Hauptrolle engagieren könnte!

25 LULU. Ich würde für Ihr Stück wohl kaum gut genug tanzen.

ALWA. Aber Sie haben doch einen Tanzlehrer, wie man ihn an
keiner Bühne Europas findet!

SCHÖN. Was führt dich denn hierher?

GOLL. Sie lassen hier wohl auch insgeheim irgend jemanden

30 porträtieren?

ALWA *(zu Schön)*. Ich wollte dich zur Generalprobe abholen.

SCHÖN *(erhebt sich)*.

GOLL. Lassen Sie denn heute schon in vollem Kostüm tanzen?

ALWA. Versteht sich. Kommen Sie mit. In fünf Minuten muß
ich auf der Bühne sein. *(Zu Lulu.)* Ich Unglücklicher!

GOLL. Ich habe ganz vergessen – wie nennt sich doch Ihr
Ballett?

ALWA. »Dalailama«.   5

GOLL. Ich glaubte, der wäre im Irrenhaus.

SCHÖN. Sie meinen Nietzsche, Herr Sanitätsrat.

GOLL. Sie haben recht. Ich verwechsle die beiden.

ALWA. Ich habe dem Buddhismus auf die Beine geholfen.

GOLL. An den Beinen erkennt man den Bühnendichter.   10

ALWA. Die Corticelli tanzt den jugendlichen Buddah, als hätte
sie am Ganges das Licht der Welt erblickt.

SCHÖN. Solang die Mutter noch lebte, tanzte sie mit den Beinen . . .

ALWA. Als sie dann frei wurde, tanzte sie mit dem Ver-   15
stande . . .

GOLL. Jetzt tanzt sie mit dem Herzen!

ALWA. Wenn Sie sie sehen wollen?

GOLL. Danke.

ALWA. Kommen Sie doch mit!   20

GOLL. Unmöglich!

SCHÖN. Wir haben übrigens keine Zeit zu verlieren.

ALWA. Kommen Sie mit, Herr Medizinalrat. Im dritten Akt
sehen Sie Dalailama in seinem Kloster, mit seinen Mön-
chen . . .   25

GOLL. Mir wäre es lediglich um den jugendlichen Buddah zu
tun.

ALWA. Was hindert Sie denn?

GOLL. Es geht nicht. Es geht nicht.

ALWA. Wir gehen nachher zu Peters. Da können Sie Ihrer   30
Bewunderung Ausdruck geben.

GOLL. Dringen Sie nicht weiter in mich. Ich bitte Sie.

ALWA. Sie sehen die zahmen Affen, die beiden Brahmanen,
die kleinen Mädchen . . .

GOLL. Bleiben Sie mir nur um Gottes willen mit den kleinen 35
Mädchen vom Halse!

LULU. Reservieren Sie uns eine Proszeniumsloge auf Montag,
Herr Alwa!

ALWA. Wie konnten gnädige Frau daran zweifeln.

GOLL. Wenn ich zurückkomme, hat mir der Höllenbreugel
5 das ganze Bild verpatzt!

ALWA. Das wäre doch kein Unglück. Das läßt sich übermalen.

GOLL. Wenn man dem Caravacci nicht jeden Pinselstrich
expliziert ...

SCHÖN. Ich halte Ihre Befürchtungen übrigens für unbe-
10 gründet.

GOLL. Das nächste Mal, meine Herren!

ALWA. Die Brahmanen werden ungeduldig! Die Töchter Nir-
vanas schlottern in ihren Trikots!

GOLL. Verdammte Klexerei!!

15 SCHÖN. Man wird uns auszanken, daß wir Sie nicht mit-
bringen.

GOLL. In fünf Minuten bin ich zurück. *(Stellt sich links vorn
hinter Schwarz und vergleicht das Bild mit Lulu.)*

ALWA *(zu Lulu)*. Mich ruft leider die Pflicht, gnädige Frau.

20 GOLL *(zu Schwarz)*. Sie müssen hier ein wenig mehr modellie-
ren. Das Haar ist schlecht. Sie sind nicht genug bei der
Sache ...

ALWA. Kommen Sie.

GOLL. Nun nur hopp! Zu Peters bringen mich keine zehn
25 Pferde.

SCHÖN *(Alwa und Goll folgend)*. Wir nehmen meinen Wagen,
der unten steht.

Vierter Auftritt

SCHWARZ. LULU.

30 SCHWARZ *(beugt sich nach links, spuckt aus)*. Pack! – Wäre doch
das Leben zu Ende! – Der Brotkorb! – Brotkorb und Maul-
korb! Jetzt bäumt sich mein Künstlerstolz. *(Nach einem
Blick auf Lulu.)* Diese Gesellschaft! – *(Erhebt sich, geht nach*

*rechts hinten, betrachtet Lulu von allen Seiten, setzt sich wieder an
die Staffelei.)* Die Wahl würde einem schwer. – – Wenn ich
Frau Obermedizinalrat ersuchen darf, die rechte Hand etwas höher.

LULU *(nimmt den Schäferstab so hoch sie reichen kann, für sich).* Wer
hätte das für möglich gehalten!

SCHWARZ. Ich bin wohl recht lächerlich?

LULU. Er kommt gleich zurück.

SCHWARZ. Ich kann nicht mehr tun als malen.

LULU. Da ist er.

SCHWARZ *(sich erhebend).* Nun?

LULU. Hören Sie nicht?

SCHWARZ. Es kommt jemand . . .

LULU. Ich wußte es ja.

SCHWARZ. Es ist der Hausmeister. Er fegt die Treppe.

LULU. Gott sei Dank.

SCHWARZ. Sie begleiten Herrn Obermedizinalrat wohl auf
seine Praxis?

LULU. Das fehlte mir noch!

SCHWARZ. Weil Sie es nicht gewohnt sind, allein zu sein.

LULU. Wir haben zu Hause eine Haushälterin.

SCHWARZ. Die Ihnen Gesellschaft leistet?

LULU. Sie hat viel Geschmack.

SCHWARZ. Wofür?

LULU. Sie zieht mich an.

SCHWARZ. Sie gehen wohl viel auf Bälle?

LULU. Nie.

SCHWARZ. Wozu brauchen Sie denn dann die Toiletten?

LULU. Zum Tanzen.

SCHWARZ. Sie tanzen wirklich?

LULU. Csardas – Samaqueca – Skirtdance . . .

SCHWARZ. Widert Sie denn das nicht an?

LULU. Sie finden mich häßlich?

SCHWARZ. Sie verstehen mich nicht. – Wer gibt Ihnen denn
den Unterricht?

LULU. Er.

SCHWARZ. Wer?

LULU. Er.

SCHWARZ. Er?

LULU. Er spielt Violine. – – –

5 SCHWARZ. Man lernt jeden Tag ein neues Stück Welt kennen.

LULU. Ich habe in Paris gelernt. Ich nahm Stunden bei Euge-
nie Fougère. Sie hat mich auch ihre Kostüme kopieren
lassen.

SCHWARZ. Wie sind denn die?

10 LULU. Grünes Spitzenröckchen bis zum Knie, ganz in
Volants, dekolletiert natürlich, sehr dekolletiert und
fürchterlich geschnürt. Hellgrüner Unterrock, dann immer heller. Schneeweiße Dessous mit handbreiten Spitzen . . .

15 SCHWARZ. Ich kann nicht mehr . . .

LULU. Malen Sie doch!

SCHWARZ *(mit dem Spachtel schabend)*. Ist Ihnen denn nicht kalt?

LULU. Gott bewahre! Nein. Wie kommen Sie auf die Frage?
Ist Ihnen denn so kalt?

20 SCHWARZ. Heute nicht. Nein.

LULU. Gottlob kann man atmen!

SCHWARZ. Wieso . . .

LULU *(atmet tief ein)*.

SCHWARZ. Lassen Sie das, bitte! – *(Springt auf, wirft Pinsel und*
25 *Palette weg, geht auf und nieder.)* Der Stiefelputzer hat es wenigstens nur mit ihren Füßen zu tun. Seine Farbe frißt ihm
auch nicht ins Geld. Wenn mir morgen das Abendbrot
fehlt, fragt mich kein Weltdämchen danach, ob ich mich
aufs Austernschlecken verstehe.

30 LULU. Ist das ein Unhold!

SCHWARZ *(nimmt die Arbeit wieder auf)*. Was jagt den Kerl auch
in diese Probe!

LULU. Mir wäre es auch lieber, er wäre dageblieben.

SCHWARZ. Wir sind wirklich die Märtyrer unseres Berufes!

35 LULU. Ich wollte Ihnen nicht weh tun.

SCHWARZ *(zögernd, zu Lulu)*. Wenn Sie links – das Beinkleid –
ein wenig höher . . .

LULU. Hier?

SCHWARZ *(tritt zum Podium)*. Erlauben Sie . . .

LULU. Was wollen Sie?   5

SCHWARZ. Ich zeige es Ihnen.

LULU. Es geht nicht.

SCHWARZ. Sie sind nervös . . . *(Will ihre Hand fassen.)*

LULU *(wirft ihm den Schäferstab ins Gesicht)*. Lassen Sie mich in
Ruhe! *(Eilt zur Entreetür.)* Sie bekommen mich noch lange   10
nicht.

SCHWARZ. Sie verstehen keinen Scherz.

LULU. Doch, ich verstehe alles. Lassen Sie mich nur frei. Mit
Gewalt erreichen Sie gar nichts bei mir. Gehen Sie an Ihre
Arbeit. Sie haben kein Recht, mich zu belästigen. *(Flüchtet* 15
hinter die Ottomane.) Setzen Sie sich hinter Ihre Staffelei.

SCHWARZ *(will um die Ottomane)*. Sobald ich Sie für Ihre Lau-
nenhaftigkeit bestraft habe.

LULU *(ausweichend)*. Dazu müssen Sie mich aber erst haben.
Gehen Sie, Sie erwischen mich doch nicht. – In langen   20
Kleidern wäre ich Ihnen längst in die Hände gefallen. –
Aber in dem Pierrot!

SCHWARZ *(sich der Länge nach über die Ottomane werfend)*. Habe
ich dich!

LULU *(schlägt ihm das Tigerfell über den Kopf)*. Gute Nacht!   25
(Springt über das Podium, klettert auf die Trittleiter.) Ich sehe
über alle Städte der Erde weg . . .

SCHWARZ *(sich aus der Decke wickelnd)*. Dieser Balg!

LULU. Ich greife in den Himmel und stecke mir die Sterne ins
Haar.   30

SCHWARZ *(ihr nachkletternd)*. Ich schüttle, bis Sie herunter-
fallen.

LULU *(höher steigend)*. Wenn Sie nicht aufhören, werfe ich die
Leiter um. Werden Sie meine Beine loslassen. – Gott schüt-
ze Polen! *(Bringt die Leiter zu Fall, springt auf das Podium und* 35
wirft Schwarz, wie er sich vom Boden aufrafft, die spanische Wand

an den Kopf. Nach vorn eilend, an den Staffeleien.) Ich habe
Ihnen ja gesagt, daß Sie mich nicht bekommen.

SCHWARZ *(nach vorn kommend).* Lassen Sie uns Frieden schließen. *(Will Sie umfassen.)*

5 LULU. Bleiben Sie mir vom Leib, oder ... *(Sie wirft ihm die
Staffelei mit dem Brustbild entgegen, daß beides krachend zu Boden stürzt.)*

SCHWARZ *(schreit auf).* Barmherziger Gott!

LULU *(links hinten).* Das Loch haben Sie selber hineinge-
10 schlagen.

SCHWARZ. Ich bin ruiniert! Zehn Wochen Arbeit, meine
Reise, meine Ausstellung. – Jetzt ist nichts mehr zu verlieren. *(Stürzt ihr nach.)*

LULU *(springt über die Ottomane, über die umgestürzte Trittleiter,
15 kommt über das Podium nach vorn).* Ein Graben! – Fallen Sie
nicht hinein! *(Stapft durch das Brustbild.)* Sie hat einen neuen
Menschen aus ihm gemacht! *(Fällt vornüber.)*

SCHWARZ *(über die spanische Wand stolpernd).* Ich kenne kein
Erbarmen mehr.

20 LULU *(im Hintergrund).* Lassen Sie mich jetzt in Ruhe. – Mir
wird schwindlig. – – O Gott, o Gott ... *(Kommt nach vorn
und sinkt auf die Ottomane.)*

SCHWARZ *(verriegelt die Tür. Darauf setzt er sich neben sie, ergreift
ihre Hand und bedeckt sie mit Küssen, hält inne; man sieht ihm an,
25 daß er einen inneren Kampf kämpft).*

LULU *(schlägt die Augen auf).* Er kann zurückkommen.

SCHWARZ. Wie ist dir?

LULU. Als wäre ich ins Wasser gefallen ...

SCHWARZ. Ich liebe dich.

30 LULU. Ich liebte einmal einen Studenten.

SCHWARZ. Nelli ...

LULU. Mit vierundzwanzig Schmissen ...

SCHWARZ. Ich liebe dich, Nelli.

LULU. Ich heiße nicht Nelli.

35 SCHWARZ *(küßt sie).*

LULU. Ich heiße Lulu.

SCHWARZ. Ich werde dich Eva nennen.

LULU. Wissen Sie, wieviel Uhr es ist?

SCHWARZ *(nach der Uhr sehend)*. Halb elf.

LULU *(nimmt die Uhr und öffnet das Gehäuse)*.

SCHWARZ. Du liebst mich nicht. 5

LULU. Doch . . . Es ist fünf Minuten nach halb elf.

SCHWARZ. Gib mir einen Kuß, Eva!

LULU *(nimmt ihn am Kinn und küßt ihn, wirft die Uhr in die Luft und fängt sie auf)*. Sie riechen nach Tabak.

SCHWARZ. Warum sagst du nicht »du«? 10

LULU. Es würde unbehaglich.

SCHWARZ. Du verstellst dich!

LULU. Sie verstellen sich selber, wie mir scheint. – Ich mich verstellen? Wie kommen Sie nur darauf? – Das hatte ich niemals nötig. 15

SCHWARZ *(erhebt sich, fassungslos, sich mit der Hand über die Stirn fahrend)*. Allmächtiger! Ich kenne die Welt nicht . . .

LULU *(schreit)*. Bringen Sie mich nur nicht um!

SCHWARZ *(sich rasch umwendend)*. Du hast noch nie geliebt . . . 20

LULU *(sich halb aufrichtend)*. Sie haben noch nie geliebt . . .!

GOLL *(von außen)*. Machen Sie auf!

LULU *(ist aufgesprungen)*. Verstecken Sie mich! O Gott, verstecken Sie mich! 25

GOLL *(gegen die Tür polternd)*. Machen Sie auf!

SCHWARZ *(will zur Tür)*.

LULU *(hält ihn zurück)*. Er schlägt mich tot.

GOLL *(gegen die Tür polternd)*. Machen Sie auf!

LULU *(vor Schwarz niedergesunken, umfaßt seine Knie)*. Er schlägt 30 mich tot. Er schlägt mich tot.

SCHWARZ. Stehen Sie auf . . .

(Die Tür fällt krachend ins Atelier).

Fünfter Auftritt

GOLL. DIE VORIGEN.

GOLL *(mit blutunterlaufenen Augen stürzt mit erhobenem Stock auf*
Schwarz und Lulu los). Ihr Hunde! – Ihr . . . *(keucht, ringt*
5 *einige Sekunden nach Atem und schlägt vornüber auf die Diele).*
SCHWARZ *(wankt in den Knien).*
LULU *(hat sich zur Tür geflüchtet).* – *(Pause.)*
SCHWARZ *(tritt an Goll heran).* Herr – Herr Medi – Herr Medizi
– Herr Medizinal – Herr Medizinalrat.
10 LULU *(in der Tür).* Bringen Sie doch bitte erst das Atelier in
Ordnung.
SCHWARZ. Herr Obermedizinalrat. *(Beugt sich nieder.)* Herr
. . . *(Tritt zurück.)* Er hat sich die Stirne geritzt. Helfen Sie
mir, ihn auf die Ottomane legen.
15 LULU *(bebt scheu zurück).* Nein, nein . . .
SCHWARZ *(sucht ihn umzukehren).* Herr Medizinalrat.
LULU. Er hört nicht.
SCHWARZ. Helfen Sie mir doch nur,
LULU. Wir heben ihn zu zweit auch nicht.
20 SCHWARZ *(sich emporrichtend).* Man muß zum Arzt schicken.
LULU. Er ist furchtbar schwer.
SCHWARZ *(seinen Hut nehmend).* Seien Sie doch bitte so freund-
lich und richten Sie, bis ich zurück bin, die Stellagen ein
wenig zurecht. *(Ab.)*

25   ### Sechster Auftritt

LULU. GOLL.

LULU. Auf einmal springt er auf. – *(Eindringlich.)* Bussi! – – Er
läßt sich nichts merken. – *(Kommt in weitem Bogen nach vorn.)*
Er sieht mir auf die Füße und beobachtet jeden Schritt, den
30 ich tue. Er hat mich überall im Auge. – *(Sie berührt ihn mit der*
Fußspitze.) Bussi! – *(Zurückweichend.)* Es ist ihm ernst. – –
Der Tanz ist aus. – – Er läßt mich sitzen. – – Was fang' ich

an? – – *(Beugt sich zur Erde.)* Ein wildfremdes Gesicht! – *(Sich aufrichtend.)* Und niemand, der ihm den letzten Dienst erweist. – Ist das trostlos . . .

Siebenter Auftritt

SCHWARZ. DIE VORIGEN. 5

SCHWARZ. Noch nicht wieder zur Besinnung gekommen?
LULU *(links vorn)*. Was fang' ich an . . .
SCHWARZ *(über Goll gebeugt)*. Herr Medizinalrat.
LULU. Ich glaube beinah, es ist ihm ernst.
SCHWARZ. Reden Sie doch anständig! 10
LULU. Er würde mir das nicht sagen. Er läßt sich von mir vortanzen, wenn er sich nicht wohl fühlt.
SCHWARZ. Der Arzt muß im Augenblick hier sein.
LULU. Arznei hilft ihm nicht.
SCHWARZ. Aber man tut doch in solchem Falle, was man 15 kann.
LULU. Er glaubt nicht daran.
SCHWARZ. Wollen Sie sich denn nicht wenigstens umziehen?
LULU. Ja. – Gleich.
SCHWARZ. Worauf warten Sie denn noch? 20
LULU. Ich bitte Sie . . .
SCHWARZ. Was denn . . . ?
LULU. Schließen Sie ihm die Augen.
SCHWARZ. Sie sind entsetzlich.
LULU. Noch lange nicht so entsetzlich wie Sie! 25
SCHWARZ. Wie ich?
LULU. Sie sind eine Verbrechernatur.
SCHWARZ. Rührt Sie denn dieser Moment gar nicht?
LULU. Mich trifft es auch mal.
SCHWARZ. Ich bitte Sie, jetzt schweigen Sie endlich mal! 30
LULU. Sie trifft es auch mal.
SCHWARZ. Das brauchten Sie einem in einem solchen Augenblick wirklich nicht noch zu sagen.

LULU. Ich bitte Sie . . .

SCHWARZ. Tun Sie, was Ihnen nötig scheint. Ich kenne das nicht.

LULU *(rechts von Goll)*. Er sieht mich an.

5 SCHWARZ *(links von Goll)*. Mich auch . . .

LULU. Sie sind ein Feigling!

SCHWARZ *(schließt Goll mit dem Taschentuch die Augen)*. Es ist das erstemal in meinem Leben, daß ich dazu verurteilt bin.

LULU. Haben Sie es denn Ihrer Mutter nicht getan?

10 SCHWARZ *(nervös)*. Nein.

LULU. Sie waren wohl auswärts?

SCHWARZ. Nein!

LULU. Oder Sie fürchteten sich?

SCHWARZ *(heftig)*. Nein.

15 LULU *(bebt zurück)*. Ich wollte Sie nicht beleidigen.

SCHWARZ. – Sie lebt noch.

LULU. Dann haben Sie doch noch jemanden.

SCHWARZ. Sie ist bettelarm.

LULU. Das kenne ich.

20 SCHWARZ. Spotten Sie meiner nicht!

LULU. Jetzt bin ich reich . . .

SCHWARZ. Es ist grauenerregend. *(Geht nach links.)* Was kann sie dafür!

LULU *(für sich)*. Was fang' ich an.

25 SCHWARZ *(für sich)*. Vollkommen verwildert!

(Schwarz links, Lulu rechts, sehen einander mißtrauisch an.)

SCHWARZ *(geht auf sie zu, ergreift ihre Hand)*. Sieh mir ins Auge!

LULU *(ängstlich)*. Was wollen Sie . . .

SCHWARZ *(führt sie zur Ottomane, nötigt sie, neben ihm Platz zu

30 nehmen)*. Sieh mir in die Augen!

LULU. Ich sehe mich als Pierrot darin.

SCHWARZ *(stößt sie von sich)*. Verwünschte Tanzerei!

LULU. Ich muß mich umziehen . . .

SCHWARZ *(hält sie zurück)*. Eine Frage . . .

35 LULU. Ich darf ja nicht antworten.

SCHWARZ *(wieder an der Ottomane)*. Kannst du die Wahrheit sagen?

LULU. Ich weiß es nicht.
SCHWARZ. Glaubst du an einen Schöpfer?
LULU. Ich weiß es nicht.
SCHWARZ. Kannst du bei etwas schwören?
LULU. Ich weiß es nicht. Lassen Sie mich! Sie sind verrückt!   5
SCHWARZ. Woran glaubst du denn?
LULU. Ich weiß es nicht.
SCHWARZ. Hast du denn keine Seele?
LULU. Ich weiß es nicht.
SCHWARZ. Hast du schon einmal geliebt –?   10
LULU. Ich weiß es nicht.
SCHWARZ *(erhebt sich, geht nach links, für sich)*. Sie weiß es nicht!
LULU *(ohne sich zu rühren)*. Ich weiß es nicht.
SCHWARZ *(mit einem Blick auf Goll)*. Er weiß es . . .
LULU *(sich ihm nähernd)*. Was wollen Sie wissen?   15
SCHWARZ *(empört)*. Geh, zieh dich an!
LULU *(geht ins Schlafkabinett)*.

Achter Auftritt

SCHWARZ. GOLL.

SCHWARZ. Ich möchte tauschen mit dir, du Toter! Ich gebe sie   20
   dir zurück. Ich gebe dir meine Jugend dazu. Mir fehlt der
   Mut und der Glaube. Ich habe mich zu lange gedulden
   müssen. Es ist zu spät für mich. Ich bin dem Glück nicht
   gewachsen. Ich habe eine höllische Angst davor. Wach auf!
   Ich habe sie nicht angerührt. Er öffnet den Mund. – Mund 25
   auf und Augen zu wie die Kinder. Bei mir ist es umgekehrt.
   Wach auf! Wach auf! *(Kniet nieder und bindet ihm sein Taschentuch um den Kopf.)* Hier flehe ich zum Himmel, er möge
   mich befähigen, glücklich zu sein. Er möge mir die Kraft
   geben und die seelische Freiheit, nur ein klein wenig glück- 30
   lich zu sein. Um ihretwillen, einzig um ihretwillen.

Neunter Auftritt

LULU. DIE VORIGEN.

LULU *(tritt aus dem Schlafkabinett, vollständig angekleidet, den Hut*
auf, die rechte Hand unter der linken Achsel; zu Schwarz, den
5 *linken Arm hebend).* Würden Sie mich hier zuhaken. Meine
Hand zittert.

Zweiter Aufzug

Sehr eleganter Salon. Rechts hinten Entreetür. Vorne rechts und links Portieren. Zu der links führen einige Stufen hinan. An der Hinterwand über dem Kamin in prachtvollem Brokatrahmen Lulus Bild als Pierrot. Links ein hoher Spiegel. Davor eine Chaiselongue. Rechts ein 5 *Schreibtisch in Ebenholz. In der Mitte einige Sessel um ein chinesisches Tischchen.*

Erster Auftritt

LULU. SCHWARZ. *Dann* HENRIETTE.

LULU *(in grünseidenem Morgenkleid steht regungslos vor dem Spie-* 10 *gel, runzelt die Stirn, fährt mit der Hand darüber, befühlt ihre Wangen, trennt sich vom Spiegel mit einem mißmutigen, halb zornigen Blick, geht nach rechts, sich mehrmals umwendend, öffnet auf dem Schreibtisch eine Schatulle, zündet sich eine Zigarette an, sucht unter den Büchern, die auf dem Tisch liegen, nimmt eines zur* 15 *Hand, legt sich auf die Chaiselongue, dem Spiegel gegenüber, läßt, nachdem sie einen Moment gelesen, das Buch sinken, nickt sich ernsthaft zu, nimmt die Lektüre wieder auf).*

SCHWARZ *(Pinsel und Palette in der Hand, tritt von rechts ein, beugt sich über Lulu, küßt sie auf die Stirn, geht nach links die Stufen* 20 *hinan, wendet sich in der Portiere um).* E v a !

LULU *(lächelnd).* Befehlen?

SCHWARZ. Ich finde, du siehst heute außerordentlich reizend aus.

LULU *(mit einem Blick in den Spiegel).* Es kommt auf die Ansprü- 25 che an.

SCHWARZ. Dein Haar atmet eine Morgenfrische . . .

LULU. Ich komme aus dem Wasser.

SCHWARZ *(sich ihr nähernd).* Ich habe heute furchtbar zu tun.

LULU. Das redest du dir ein.

SCHWARZ *(legt Pinsel und Palette auf den Teppich und setzt sich auf* 30 *den Rand der Chaiselongue).* Was liest du denn da?

LULU *(liest).* Plötzlich hörte sie einen Rettungsanker die Treppe heraufwinken.

SCHWARZ. Wer in aller Welt schreibt denn so ergreifend?

LULU *(liest).* Es war der Geldbriefträger.

5 HENRIETTE *(durch die Entree, eine Hutschachtel am Arm, setzt eine Tablette mit Briefen auf den Tisch).* Die Post. – Ich gehe der Putzmacherin den Hut bringen. Haben gnädige Frau noch etwas zu befehlen?

LULU. Nichts.

10 SCHWARZ *(winkt ihr, sich zu entfernen).*

HENRIETTE *(verschmitzt lächelnd ab).*

SCHWARZ. Was hast du vergangene Nacht denn alles geträumt?

LULU. Das hast du mich heute doch schon zweimal gefragt.

15 SCHWARZ *(erhebt sich, nimmt die Briefe von der Tablette).* Ich zittere vor Neuigkeiten. Ich fürchte jeden Tag, die Welt könnte untergehen. *(Zur Chaiselongue zurückgekehrt, Lulu einen Brief gebend.)* An dich.

LULU *(führt das Billett zur Nase).* Die Corticelli. *(Birgt es in ihrem*
20 *Busen.)*

SCHWARZ *(einen Brief durchfliegend).* Meine Samaquecatänzerin verkauft – für 50 000 Mark!

LULU. Wer schreibt denn das?

SCHWARZ. Sedelmeier in Paris. Das ist das dritte Bild seit
25 unserer Verheiratung. Ich weiß mich vor meinem Glück kaum zu retten.

LULU *(auf die Briefe deutend).* Da kommt noch mehr.

SCHWARZ *(eine Verlobungsanzeige öffnend).* Sieh da! *(Gibt sie Lulu.)*

30 LULU *(liest).* Herr Regierungsrat Heinrich Ritter von Zarnikow beehrt sich, Ihnen von der Verlobung seiner Tochter Charlotte Marie Adelaide mit Herrn Dr. Ludwig Schön ergebenste Mitteilung zu machen.

SCHWARZ *(einen anderen Brief öffnend).* Endlich! Es ist ja eine
35 Ewigkeit, daß er darauf lossteuert, sich vor der Welt zu verloben. Ich begreife nicht, ein Gewaltmensch von sei-

nem Einfluß. Was steht denn seiner Heirat eigentlich im
Wege!!

LULU. Was ist das, was du da liest?

SCHWARZ. Eine Einladung, mich an der internationalen Ausstellung in Petersburg zu beteiligen. – Ich weiß gar nicht,   5
was ich malen soll.

LULU. Irgendein entzückendes Mädchen natürlich.

SCHWARZ. Wenn du mir dazu Modell stehen willst?

LULU. Es gibt doch, weiß Gott, auch andere hübsche Mädchen genug.   10

SCHWARZ. Ich gelange aber einem andern Modell gegenüber,
und wenn es pikant wie die Hölle ist, nicht zu dieser vollen
Ausbeutung meines Könnens.

LULU. Dann muß ich ja wohl. – Ginge es denn nicht vielleicht
auch liegend?   15

SCHWARZ. Am liebsten möchte ich das Arrangement wirklich
deinem Geschmack überlassen. *(Die Briefe zusammenfal-
tend.)* Daß wir nicht vergessen, Schön jedenfalls heute noch
zu gratulieren. *(Geht nach rechts und schließt die Briefe in den
Schreibtisch.)*   20

LULU. Das haben wir doch längst getan.

SCHWARZ. Seiner Braut wegen.

LULU. Du kannst es ihm ja noch einmal schreiben.

SCHWARZ. Und jetzt zur Arbeit. *(Nimmt Pinsel und Palette auf,
küßt Lulu, geht links die Stufen hinan, wendet sich in der Portiere*   25
um.) Eva!

LULU *(läßt ihr Buch sinken, lächelnd).* Befehlen?

SCHWARZ *(sich ihr nähernd).* Mir ist täglich, als sähe ich dich
zum allererstenmal.

LULU. Du bist schrecklich.   30

SCHWARZ *(sinkt vor der Chaiselongue in die Knie, liebkost ihre
Hand).* Du trägst die Schuld.

LULU *(ihm die Locken streichelnd).* Du vergeudest mich.

SCHWARZ. Du bist ja mein. Du bist auch nie bestrickender, als
wenn du nur um Gottes willen einmal ein paar Stunden   35
recht häßlich sein solltest! Ich habe nichts mehr, seit ich

dich habe. – Ich bin mir vollständig abhanden gekommen ...

LULU. Nicht so aufgeregt.

(Es läutet auf dem Korridor.)

5 SCHWARZ *(zusammenfahrend)*. Verwünscht.

LULU. Niemand zu Hause!

SCHWARZ. Vielleicht ist es der Kunsthändler ...

LULU. Und wenn es der Kaiser von China ist.

SCHWARZ. Einen Moment. *(Ab.)*

10 LULU *(visionär)*. – Du? – du? – *(Schließt die Augen.)*

SCHWARZ *(zurückkommend)*. Ein Bettler, der den Feldzug mitgemacht haben will. Ich habe kein Kleingeld bei mir. *(Pinsel und Palette aufnehmend.)* Es ist auch die höchste Zeit, daß ich endlich an die Arbeit gehe. *(Nach links ab.)*

15 LULU *(ordnet vor dem Spiegel ihre Toilette, streicht sich das Haar zurück und geht hinaus)*.

Zweiter Auftritt

LULU. SCHIGOLCH.

SCHIGOLCH *(von Lulu hereingeführt)*. Ich hatte ihn mir etwas
20   chevaleresker gedacht; ein wenig mehr Nimbus. Er ist etwas verlegen. Er brach ein wenig in die Knie, als er m i c h vor sich sah.

LULU *(rückt ihm einen Sessel zurecht)*. Wie kannst du ihn auch anbetteln?

25 SCHIGOLCH. Deswegen habe ich meine siebenundsiebzig Lenze nämlich hergeschleppt. Du sagtest mir, er halte sich morgens an seine Malerei.

LULU. Er hatte noch nicht ausgeschlafen. Wieviel brauchst du?

30 SCHIGOLCH. Zweihundert, wenn du soviel flüssig hast; meinetwegen dreihundert. Es sind mir einige Klienten verduftet.

LULU *(geht an den Schreibtisch und kramt in den Schubladen)*. Bin ich müde!

SCHIGOLCH *(sich umsehend)*. Das hat mich nämlich auch bewogen. Ich hätte lange gerne gesehen, wie es jetzt so bei dir zu Hause aussieht.

LULU. Nun?

SCHIGOLCH. Es überläuft einen. *(Emporblickend.)* Wie bei mir vor fünfzig Jahren. Statt der Bummelagen hatte man damals noch alte verrostete Säbel. Den Teufel noch mal, du hast es weit gebracht. *(Scharrend.)* Die Teppiche . . .

LULU *(gibt ihm zwei Billetts)*. Ich gehe am liebsten barfuß darauf.

SCHIGOLCH *(Lulus Porträt betrachtend)*. Das bist du?

LULU *(zwinkernd)*. Fein?

SCHIGOLCH. Wenn das alles Gutes ist.

LULU. Einen Süßen?

SCHIGOLCH. Was denn?

LULU *(erhebt sich)*. Elixir de Spaa.

SCHIGOLCH. Hilft nichts! – Trinkt er?

LULU *(nimmt aus einem Schränkchen neben dem Kamin Karaffe und Gläser)*. Noch nicht. *(Nach vorn kommend.)* Das Labsal wirkt so verschieden!

SCHIGOLCH. Er schlägt aus?

LULU *(zwei Gläser füllend)*. Er schläft ein.

SCHIGOLCH. Wenn er betrunken ist, kannst du ihm in die Eingeweide sehen.

LULU. Lieber nicht. *(Setzt sich Schigolch gegenüber.)* Erzähl' mir.

SCHIGOLCH. Die Straßen werden immer länger, und die Beine immer kürzer.

LULU. Und deine Harmonika?

SCHIGOLCH. Hat falsche Luft, wie ich mit meinem Asthma. Ich denke nur immer, das Ausbessern ist nicht mehr der Mühe wert. *(Stößt mit ihr an.)*

LULU *(leert ihr Glas)*. Ich glaubte schon, du wärest am Ende . . .

SCHIGOLCH. . . . am Ende schon auf und davon? – Das

glaubte ich auch schon. Aber wenn so erst die Sonne hinunter ist, dann läßt es einen doch noch nicht ruhen. Ich hoffe
auf den Winter. Da wird *(hustend)* mein – mein – mein
Asthma wohl eine Fahrgelegenheit ausfindig zu machen
5   wissen.

LULU *(die Gläser füllend)*. Du meinst, man könnte dich drüben
    vergessen haben?

SCHIGOLCH. Wär' schon möglich, weil es ja nicht der Reihe
    nach geht. *(Ihr das Knie streichelnd.)* Nun erzähl' du mal –
10   lange nicht gesehen – meine kleine Lulu.

LULU *(zurückrückend, lächelnd)*. Das Leben ist doch unfaßlich!

SCHIGOLCH. Was weißt du! Du bist noch so jung.

LULU. Daß du mich Lulu nennst.

SCHIGOLCH. Lulu, nicht? Habe ich dich jemals anders ge-
15   nannt?

LULU. Ich heiße seit Menschengedenken nicht mehr Lulu.

SCHIGOLCH. Eine andere Benennungsweise?

LULU. Lulu klingt mir ganz vorsintflutlich.

SCHIGOLCH. Kinder! Kinder!
20 LULU. Ich heiße jetzt . . .

SCHIGOLCH. Als bliebe das Prinzip nicht immer das gleiche!

LULU. Du meinst?

SCHIGOLCH. Wie heißt es jetzt?

LULU. Eva.
25 SCHIGOLCH. Gehupft wie gesprungen!

LULU. Ich höre darauf.

SCHIGOLCH *(sieht sich um)*. So habe ich es für dich geträumt.
    Du bist darauf angelegt. Was soll denn das?

LULU *(sich mit einem Parfümflakon besprengend)*. Heliotrop.
30 SCHIGOLCH. Riecht das besser als du?

LULU *(ihn besprengend)*. Das braucht dich wohl nicht mehr zu
    kümmern.

SCHIGOLCH. Wer hätte den königlichen Luxus vorausgeahnt!

LULU. Wenn ich zurückdenke – – Hu!
35 SCHIGOLCH *(ihr das Knie streichelnd)*. Wie geht's dir denn?
    Treibst du immer noch Französisch?

LULU. Ich liege und schlafe.

SCHIGOLCH. Das ist vornehm. Das sieht immer nach so was aus. Und weiter?

LULU. Und strecke mich – bis es knackt.

SCHIGOLCH. Und wenn es geknackt hat?   5

LULU. Was interessiert dich das!

SCHIGOLCH. Was mich das interessiert? Was mich das interessiert? Ich wollte lieber bis zur jüngsten Posaune leben und auf alle himmlischen Freuden Verzicht leisten, als meine Lulu hienieden in Entbehrung zurücklassen. Was mich das 10 interessiert? Es ist mein Mitgefühl. Ich bin ja mit meinem besseren Ich schon verklärt. Aber ich habe noch das Verständnis für diese Welt.

LULU. Ich nicht.

SCHIGOLCH. Dir ist zu wohl.   15

LULU *(schaudernd)*. Blödsinnig . . .

SCHIGOLCH. Wohler als bei dem alten Tanzbär?

LULU *(wehmütig)*. Ich tanze nicht mehr . . .

SCHIGOLCH. Für den war es auch Zeit.

LULU. Jetzt bin ich . . . *(Stockt.)*   20

SCHIGOLCH. Sprich, wie es dir ums Herz ist, mein Kind! Ich hatte Vertrauen in dich, als noch nichts an dir zu sehen war als deine zwei großen Augen. Was bist du jetzt?

LULU. Ein Tier! . . .

SCHIGOLCH. Daß dich der! – Und was für ein Tier! – Ein 25 feines Tier! – Ein elegantes Tier! – Ein Prachtstier! – – – Dann will ich mich beisetzen lassen. – Mit den Vorurteilen sind wir fertig. Auch mit dem gegen die Leichenwäscherin.

LULU. Du hast nicht zu fürchten, daß du noch mal gewaschen 30 wirst!

SCHIGOLCH. Macht auch nichts. Man wird doch wieder schmutzig.

LULU *(ihn besprengend)*. Es würde dich noch mal ins Leben zurückrufen.   35

SCHIGOLCH. Wir sind Moder.

LULU. Bitte recht schön! Ich reibe mich täglich mit Kammfett
ein und dann kommt Puder darauf.

SCHIGOLCH. Auch wohl der Mühe wert, der Zierbengel
wegen.

5 LULU. Das macht die Haut wie Satin.

SCHIGOLCH. Als wäre es deswegen nicht auch nur Dreck.

LULU. Danke schön. Ich will zum Anbeißen sein.

SCHIGOLCH. Sind wir auch. Geben da unten nächstens ein
großes Diner. Halten offene Tafel.

10 LULU. Deine Gäste werden sich dabei kaum überessen.

SCHIGOLCH. Geduld, Mädchen! Dich setzen deine Verehrer
auch nicht in Weingeist. Das heißt schöne Melusine, solang
es seine Schwungkraft behält. Nachher? Man nimmt's im
zoologischen Garten nicht. *(Sich erhebend.)* Die holden Be-
15 stien bekämen Magenkrämpfe.

LULU *(sich erhebend).* Hast du auch genug?

SCHIGOLCH. Es bleibt noch genug übrig, um mir eine Tere-
binthe aufs Grab zu pflanzen. – Ich finde selber hinaus.
(Ab.)

20 LULU *(begleitet ihn und kommt mit Dr. Schön zurück).*

Dritter Auftritt

LULU. SCHÖN.

SCHÖN. Was tut denn Ihr Vater hier?

LULU. Was haben Sie?

25 SCHÖN. Wenn ich Ihr Mann wäre, käme mir dieser Mensch
nicht über die Schwelle.

LULU. Sie können getrost »du« sagen; er ist nicht hier.

SCHÖN. Ich danke für die Ehre.

LULU. Ich verstehe nicht.

30 SCHÖN. Das weiß ich. *(Ihr einen Sessel bietend.)* Darüber
möchte ich nämlich gerne mit Ihnen sprechen.

LULU *(sich unsicher setzend).* Warum haben Sie mir denn das
nicht gestern gesagt?

SCHÖN. Bitte, jetzt nichts von gestern. Ich habe es Ihnen vor
zwei Jahren schon gesagt.

LULU *(nervös)*. Ach so. Hm.

SCHÖN. Ich bitte dich, deine Besuche bei mir einzustellen.

LULU. Darf ich Ihnen ein Elixier . . .   5

SCHÖN. Danke. Kein Elixier. Haben Sie mich verstanden?

LULU *(schüttelt den Kopf)*.

SCHÖN. Gut. Sie haben die Wahl. – Sie zwingen mich zu den
äußersten Mitteln – entweder sich Ihrer Stellung angemes-
sen zu benehmen . . .   10

LULU. Oder?

SCHÖN. Oder – Sie zwingen mich – ich müßte mich an diejeni-
ge Persönlichkeit wenden, die für Ihre Aufführung verantwortlich ist.

LULU. Wie stellen Sie sich das vor?   15

SCHÖN. Ich ersuche Ihren Mann, Ihre Wege selber zu über-
wachen.

LULU *(erhebt sich, geht links die Stufen hinan)*.

SCHÖN. Wo wollen Sie denn hin?

LULU *(ruft unter der Portiere)*. Walter!   20

SCHÖN *(aufspringend)*. Bist du verrückt?!

LULU *(sich zurückwendend)*. Aha!

SCHÖN. Ich mache die übermenschlichsten Anstrengungen,
um dich in der Gesellschaft zu erhöhen. Auf deinen Namen
kannst du zehnmal stolzer sein, als auf meine Vertraulich-   25
keit . . .

LULU *(kommt die Stufen herunter, legt Schön den Arm um den Hals)*.
Was fürchten Sie denn jetzt noch, wo Sie am Ziel Ihrer
Wünsche sind?

SCHÖN. Keine Komödie! Am Ziel meiner Wünsche? Ich habe   30
mich verlobt, endlich! Ich habe jetzt den Wunsch, meine
Braut unter ein reines Dach zu führen.

LULU *(sich setzend)*. Sie ist zum Entzücken aufgeblüht in den
zwei Jahren.

SCHÖN. Sie sieht einem nicht mehr so ernsthaft durch den   35
Kopf.

LULU. Sie ist jetzt erst ganz Weib. Wir können einander treffen, wo es Ihnen angemessen scheint.

SCHÖN. Wir werden einander nirgends treffen, es sei denn in
Gesellschaft Ihres Mannes!

5 LULU. Sie glauben selber nicht an das, was Sie sagen.

SCHÖN. Dann muß doch er daran glauben. Ruf' ihn nur!
Durch seine Verheiratung mit dir, durch das, was ich für
ihn getan, ist er mein Freund geworden.

LULU (sich erhebend). Meiner auch.

10 SCHÖN. Dann werde ich mir das Schwert über dem Kopf
herunterschneiden.

LULU. Sie haben mich ja an die Kette gelegt. Ihnen verdanke
ich doch mein Glück. Sie bekommen Freunde die Menge,
wenn Sie erst wieder eine hübsche junge Frau haben.

15 SCHÖN. Du beurteilst die Frauen nach dir! – Er ist ein Kindergemüt. Er wäre deinen Seitensprüngen sonst längst auf die
Spur gekommen.

LULU. Ich wünsche nicht mehr! Er würde seine Kinderschuhe
dann endlich auszuziehen. Er pocht darauf, daß er den Hei-
20 ratskontrakt in der Tasche hat. Die Mühe ist überstanden.
Jetzt kann man sich geben und sich gehen lassen, wie zu
Hause. Er ist kein Kindergemüt! Er ist banal. Er hat keine
Erziehung. Er sieht nichts. Er sieht mich nicht und sich
nicht. Er ist blind, blind, blind . . .

25 SCHÖN (halb für sich). Wenn dem die Augen aufgehen!!

LULU. Öffnen Sie ihm die Augen! Ich verkomme. Ich ver-
nachlässige mich. Er kennt mich gar nicht. Was bin ich
ihm. Er nennt mich Schätzchen und kleines Teufelchen. Er
würde jeder Klavierlehrerin das gleiche sagen. Er erhebt
30 keine Pretensionen. Alles ist ihm recht. Das kommt, weil
er nie in seinem Leben das Bedürfnis gefühlt hat, mit Frau-
en zu verkehren.

SCHÖN. Ob das wahr ist!

LULU. Er gesteht es ja ganz offen ein.

35 SCHÖN. Jemand, der seit seinem vierzehnten Jahr Kreti und
Pleti porträtiert.

LULU. Er hat Angst vor Frauen. Er bebt für sein Wohlbefinden. – M i c h fürchtet er nicht!

SCHÖN. Wie manches Mädchen würde sich in deinem Fall Gott weiß wie selig preisen.

LULU *(zärtlich bittend)*. Verführen Sie ihn. Sie verstehen sich darauf. Bringen Sie ihn in schlechte Gesellschaft. Sie haben die Bekanntschaften. Ich bin ihm nichts als Weib und wieder Weib. Ich fühle mich so blamiert. Er wird stolzer auf mich sein. Er kennt keine Unterschiede. Ich denke mir das Hirn aus, Tag und Nacht, um ihn aufzurütteln. In meiner Verzweiflung tanze ich Cancan. Er gähnt und faselt etwas von Obszönität.

SCHÖN. Unsinn. Er ist doch Künstler.

LULU. Er glaubt es wenigstens zu sein.

SCHÖN. Das ist schon die Hauptsache!

LULU. Wenn ich mich als Modell hinstelle. Er glaubt auch, er sei ein berühmter Mann.

SCHÖN. Dazu haben wir ihn auch gemacht!

LULU. Er glaubt alles! Er ist mißtrauisch, wie ein Dieb und läßt sich anlügen, daß man jeden Respekt verliert. Als wir uns kennen lernten, machte ich ihm weis, ich hätte noch nie geliebt . . .

SCHÖN *(fällt in einen Lehnsessel)*.

LULU. Er hätte mich ja sonst für ein verworfenes Geschöpf gehalten!

SCHÖN. – Du stellst weiß Gott was für exorbitante Anforderungen an l e g i t i m e Verhältnisse!

LULU. Ich stelle keine exorbitanten Anforderungen. Oft träumt mir sogar noch von Goll.

SCHÖN. Der war allerdings nicht banal.

LULU. Er ist da, als wär' er nie fortgewesen. Nur geht er wie auf Socken. Er ist mir nicht böse. Er ist furchtbar traurig. Und dann ist er furchtsam, als wäre er ohne polizeiliche Erlaubnis da. Sonst fühlt er sich behaglich mit uns. Nur kommt er nicht darüber hinweg, daß ich seither so viel Geld zum Fenster hinausgeworfen habe . . .

SCHÖN. Du sehnst dich nach der Peitsche zurück!

LULU. Mag sein. Ich tanze nicht mehr.

SCHÖN. Erzieh' ihn dir dazu.

LULU. Das wäre verlorene Müh'!

5 SCHÖN. Unter hundert Frauen sind neunzig, die sich ihre
Männer erziehen.

LULU. Er liebt mich.

SCHÖN. Das ist freilich fatal.

LULU. Er liebt mich . . .

10 SCHÖN. Das ist eine unüberbrückbare Kluft.

LULU. Er kennt mich nicht, aber er liebt mich! Hätte er nur
eine annähernd richtige Vorstellung von mir, er würde mir
einen Stein an den Hals binden und mich im Meer versen-
ken, wo es am tiefsten ist!

15 SCHÖN *(sich erhebend)*. Kommen wir zu Ende!

LULU. Wie Ihnen beliebt.

SCHÖN. Ich habe dich verheiratet. Ich habe dich zweimal verheiratet. Du lebst im Luxus. Ich habe deinem Mann eine
Position geschaffen. Wenn dir das nicht genügt und er sich
20 dazu ins Fäustchen lacht, ich trage mich nicht mit idealen
Forderungen, aber – laß mich dabei aus dem Spiel.

LULU *(mit entschlossenem Ton)*. Wenn ich einem Menschen auf
dieser Welt angehöre, gehöre ich Ihnen. Ohne Sie wäre ich
– ich will nicht sagen wo. Sie haben mich bei der Hand ge-
25 nommen, mir zu essen gegeben, mich kleiden lassen, als
ich Ihnen die Uhr stehlen wollte. Glauben Sie, das vergißt
sich? Jeder andere hätte den Schutzmann gerufen. Sie haben mich zur Schule geschickt und mich Lebensart lernen
lassen. Wer außer Ihnen auf der ganzen Welt hat je etwas
30 für mich übrig gehabt? Ich habe getanzt und Modell gestanden und war froh, meinen Lebensunterhalt damit verdienen zu können. Aber auf Kommando l i e b e n, das
kann ich nicht!

SCHÖN *(die Stimme hebend)*. Laß m i c h aus dem Spiel! Tu',
35 was du willst. Ich komme nicht, um Skandal zu machen.
Ich komme, um mir den Skandal vom Halse zu schaffen.

Meine Verbindung kostet mich Opfer genug! Ich hatte
vorausgesetzt, mit einem gesunden jungen Mann, wie ihn
sich eine Frau in deinem Alter nicht besser wünschen kann,
würdest du dich endlich zufrieden geben. Wenn du mir
verpflichtet bist, dann wirf dich mir nicht zum drittenmal   5
in den Weg! Soll ich denn noch länger warten, bis ich mein
Teil in Sicherheit bringe? Soll ich riskieren, daß mir der
ganze Erfolg meiner Konzessionen nach zwei Jahren wieder ins Wasser fällt? Was hilft mir dein Verheiratetsein,
wenn man dich zu jeder Stunde des Tages bei mir ein und   10
aus gehen sieht? – Warum zum Teufel ist Dr. Goll nicht
auch wenigstens ein Jahr noch am Leben geblieben! Bei
dem warst du in Verwahrung. Dann hätte ich meine Frau
längst unter Dach!

LULU. Was hätten Sie dann! Das Kind fällt Ihnen auf die   15
Nerven. Das Kind ist zu unverdorben für Sie. Das Kind ist
viel zu sorgfältig erzogen. Was sollte ich gegen Ihre Verheiratung haben! Aber Sie täuschen sich über sich selber,
wenn Sie glauben, mir Ihrer bevorstehenden Verheiratung
wegen Ihre Verachtung zum Ausdruck geben zu dürfen!   20

SCHÖN. Verachtung?! – Ich werde dem Kind schon die richtige Fasson geben! Wenn etwas verachtenswert ist, so sind
es deine Intrigen!

LULU (*lachend*). Bin ich auf das Kind eifersüchtig? – Das kann
mir doch gar nicht einfallen . . .   25

SCHÖN. Wieso denn das Kind! Das Kind ist nicht einmal ein
ganzes Jahr jünger als du. Laß mir meine Freiheit, zu leben,
was ich noch zu leben habe! Sei das Kind erzogen, wie
es will, das Kind hat gerade so wie du seine fünf
Sinne . . .   30

Vierter Auftritt

SCHWARZ. DIE VORIGEN.

SCHWARZ *(einen Pinsel in der Hand, links unter der Portiere)*. Was ist denn los?

5 LULU *(zu Schön)*. Nun? Reden Sie doch.

SCHWARZ. Was habt ihr denn?

LULU. Nichts, was dich betrifft . . .

SCHÖN *(rasch)*. Ruhig!

LULU. Man hat mich satt.

10 SCHWARZ *(führt Lulu nach links ab)*.

SCHÖN *(blättert in einem der Bücher, die auf dem Tisch liegen)*. Es mußte zur Sprache kommen. – – Ich muß endlich die Hände frei haben.

SCHWARZ *(zurückkommend)*. Ist denn das eine Art zu scherzen?

15 SCHÖN *(auf einen Sessel deutend)*. Bitte.

SCHWARZ. Was ist denn?

SCHÖN. Bitte.

SCHWARZ *(sich setzend)*. Nun?

SCHÖN *(sich setzend)*. Du hast eine halbe Million geheiratet . . .

20 SCHWARZ. Ist sie weg?

SCHÖN. Nicht ein Pfennig.

SCHWARZ. Erklär' mir den eigentümlichen Auftritt.

SCHÖN. Du hast ein halbe Million geheiratet . . .

SCHWARZ. Daraus kann man mir kein Verbrechen machen.

25 SCHÖN. Du hast dir einen Namen geschaffen. Du kannst unbehelligt arbeiten. Du brauchst dir keinen Wunsch zu versagen . . .

SCHWARZ. Was habt ihr beide denn gegen mich?

SCHÖN. Seit sechs Monaten schwelgst du in allen Himmeln.

30 Du hast eine Frau, um deren Vorzüge die Welt dich beneidet, und die einen Mann verdient, den sie achten kann . . .

SCHWARZ. Achtet sie mich nicht?

SCHÖN. Nein.

SCHWARZ *(beklommen)*. – Ich komme aus den düstern Tiefen

35 der Gesellschaft. Sie ist von oben her. Ich hege keinen

heißeren Wunsch, als ihr ebenbürtig zu werden. *(Schön die
Hand reichend.)* Ich danke dir.
SCHÖN *(halb verlegen seine Hand drückend)*. Bitte, bitte.
SCHWARZ *(mit Entschlossenheit)*. Sprich!
SCHÖN. Nimm sie etwas mehr unter Aufsicht.   5
SCHWARZ. Ich – sie?
SCHÖN. Wir sind keine Kinder! Wir tändeln nicht. Wir leben.
  – Sie fordert ernst genommen zu werden. Ihr Wert gibt ihr
  das volle Recht dazu.
SCHWARZ. Was tut sie denn?   10
SCHÖN. – Du hast eine halbe Million geheiratet!
SCHWARZ *(erhebt sich, außer sich)*. Sie . . .
SCHÖN *(nimmt ihn bei der Schulter)*. Nein, das ist der Weg nicht!
  (Nötigt ihn, sich zu setzen.) Wir haben hier sehr ernst mitein-
  ander zu sprechen.   15
SCHWARZ. Was tut sie?!
SCHÖN. Rechne dir erst genau an den Fingern nach, was du ihr
  zu verdanken hast, und dann . . .
SCHWARZ. Was tut sie – Mensch!!
SCHÖN. Und dann mach' dich für deine Fehler verantwortlich   20
  und nicht sonst jemand.
SCHWARZ. Mit wem? Mit wem?
SCHÖN. Wenn wir uns schießen sollen . . .
SCHWARZ. Seit wann denn?!
SCHÖN *(ausweichend)*. – Ich komme nicht hierher, um Skandal   25
  zu machen. Ich komme, um dich vor dem Skandal zu
  retten.
SCHWARZ *(kopfschüttelnd)*. – Du hast sie mißverstanden.
SCHÖN *(verlegen)*. Damit ist mir nicht gedient. Ich kann dich in
  deiner Blindheit nicht so weiterleben sehen. Das Mädchen 30
  verdient eine anständige Frau zu sein. Sie hat sich, seit ich
  sie kenne, zu ihrem Besseren entwickelt.
SCHWARZ. Seit du sie kennst? – Seit wann kennst du sie denn?
SCHÖN. Etwa seit ihrem zwölften Jahr.
SCHWARZ *(verwirrt)*. Davon hat sie mir nichts gesagt.   35
SCHÖN. Sie verkaufte Blumen vor dem Alhambra-Café. Sie

drückte sich barfuß zwischen den Gästen durch, jeden
Abend zwischen zwölf und zwei.

SCHWARZ. Davon hat sie mir nichts gesagt.

SCHÖN. Daran hat sie recht getan! Ich sage es dir, damit du
siehst, daß du es nicht mit moralischer Verworfenheit zu
tun hast. Das Mädchen ist im Gegenteil außergewöhnlich
gut veranlagt.

SCHWARZ. Sie sagte, sie sei bei einer Tante aufgewachsen.

SCHÖN. Das war die Frau, der ich sie übergab. Sie war die
beste Schülerin. Die Mütter stellten sie ihren Kindern als
Vorbild hin. Sie besitzt Pflichtgefühl. Es ist einzig und
allein dein Versehen, wenn du bis jetzt versäumt hast, sie
bei ihren besten Seiten zu nehmen.

SCHWARZ *(schluchzend).* O Gott . . . !

SCHÖN *(mit Nachdruck).* Kein »O Gott«!! An dem Glück, das
du gekostet, kann nichts etwas ändern. Geschehen ist geschehen. Du überschätzest dich gegen besseres Wissen,
wenn du dir einredest, zu verlieren. Es gilt zu gewinnen.
Mit dem »O Gott« ist nichts gewonnen. Einen größeren
Freundschaftsdienst habe ich dir noch nicht erwiesen. Ich
spreche offen und biete dir meine Hilfe. Zeig' dich dessen
nicht unwürdig!

SCHWARZ *(von jetzt an mehr und mehr in sich zusammenbrechend).*
Als ich sie kennen lernte, sagte sie mir, sie habe noch nie
geliebt.

SCHÖN. Wenn eine Witwe das sagt! Ihr gereicht es zur Ehre,
daß sie dich zum Manne gewählt. Stelle die nämliche An-
forderung an dich, und dein Glück ist makellos.

SCHWARZ. Er habe sie kurze Kleider tragen lassen.

SCHÖN. Er hat sie doch geheiratet! – Das war ihr Meister-
streich. Wie sie den Mann dazu gebracht, ist mir unfaßlich.
Du mußt es jetzt ja wissen. Du genießt die Früchte ihrer
Diplomatie.

SCHWARZ. Woher kannte Dr. Goll sie denn?

SCHÖN. Durch mich! – Es war nach dem Tode meiner Frau,
als ich die ersten Beziehungen zu meiner gegenwärtigen

Verlobten anknüpfte. Sie stellte sich dazwischen. Sie hatte
sich in den Kopf gesetzt, meine Frau zu werden.

SCHWARZ *(wie von einer entsetzlichen Ahnung befallen)*. Und als
ihr Mann starb?

SCHÖN. – Du hast eine halbe Million geheiratet!!   5

SCHWARZ *(jammernd)*. Wär' ich geblieben, wo ich war! Wär'
ich Hungers gestorben!

SCHÖN *(mit Überlegenheit)*. Glaubst du denn, i c h mache keine
Zugeständnisse? Wer macht keine Zugeständnisse? Du
hast eine halbe Million geheiratet. Du bist heute einer der   10
ersten Künstler. Dazu kommt man nicht ohne Geld. Du
bist nicht derjenige, um über sie zu Gericht zu sitzen. Bei
einer Herkunft, wie sie Mignon hat, kannst du unmöglich
mit den Begriffen der bürgerlichen Gesellschaft rechnen.

SCHWARZ *(ganz wirr)*. Von wem sprichst du denn?   15

SCHÖN. Ich spreche von ihrem Vater. Du bist Künstler, sag'
ich. Deine Ideale liegen auf einem andern Gebiete als die
eines Lohnarbeiters.

SCHWARZ. Ich verstehe von alledem kein Wort.

SCHÖN. Ich spreche von den menschenunwürdigen Verhält-   20
nissen, aus denen sich das Mädchen dank seiner Führung
zu dem entwickelt hat, was sie ist!

SCHWARZ. Wer denn?

SCHÖN. Wer denn? – Deine Frau.

SCHWARZ. E v a ? ?   25

SCHÖN. Ich nannte sie Mignon.

SCHWARZ. Ich meinte, sie hieße Nelli?

SCHÖN. So nannte sie Dr. Goll.

SCHWARZ. Ich nannte sie Eva . . .

SCHÖN. Wie sie eigentlich hieß, weiß ich nicht.   30

SCHWARZ *(geistesabwesend)*. Sie weiß es vielleicht.

SCHÖN. Bei einem Vater, wie sie ihn hat, ist sie ja bei allen
Fehlern das helle Wunder. Ich verstehe dich nicht . . .

SCHWARZ. Er ist im Irrenhause gestorben . . . ?

SCHÖN. Er war ja eben hier!   35

SCHWARZ. Wer war da?

SCHÖN. Ihr Vater.

SCHWARZ. Hier – bei mir?

SCHÖN. Er drückte sich, als ich kam. Da stehen ja noch die Gläser.

5 SCHWARZ. Sie sagt, er sei im Irrenhause gestorben.

SCHÖN *(ermutigend)*. Laß sie Autorität fühlen! Sie verlangt nicht mehr, als unbedingt Gehorsam leisten zu dürfen. Bei Dr. Goll war sie wie im Himmel, und mit dem war nicht zu scherzen.

10 SCHWARZ *(kopfschüttelnd)*. Sie sagte, sie habe noch nie geliebt . . .

SCHÖN. Aber mach' mit dir selber den Anfang. Raff' dich zusammen.

SCHWARZ. Geschworen hat sie!

15 SCHÖN. Du kannst kein Pflichtgefühl fordern, bevor du nicht deine eigene Aufgabe kennst.

SCHWARZ. Bei dem Grabe ihrer Mutter!!

SCHÖN. Sie hat ihre Mutter nicht gekannt. Geschweige das Grab. – Ihre Mutter hat gar kein Grab.

20 SCHWARZ *(verzweifelt)*. Ich passe nicht hinein in die Gesellschaft.

SCHÖN. Was hast du?

SCHWARZ. Einen grauenhaften Schmerz.

SCHÖN *(erhebt sich, tritt zurück, nach einer Pause)*. Wahr' sie dir,
25 weil sie dein ist. – Der Moment ist entscheidend. Sie kann morgen für dich verloren sein.

SCHWARZ *(auf die Brust deutend)*. Hier, hier.

SCHÖN. Du hast eine halbe . . . *(sich besinnend.)* Sie ist dir verloren, wenn du den Augenblick versäumst!

30 SCHWARZ. Wenn ich weinen könnte! – Oh, wenn ich schreien könnte!

SCHÖN *(legt ihm die Hand auf die Schulter)*. Dir ist elend . . .

SCHWARZ *(sich erhebend, anscheinend ruhig)*. Du hast recht, ganz recht.

35 SCHÖN *(seine Hand ergreifend)*. Wo willst du hin?

SCIIWARZ. Mit ihr sprechen.

SCHÖN. Recht so. *(Begleitet ihn zur Türe rechts.)*

Fünfter Auftritt

SCHÖN. *Gleich darauf* LULU.

SCHÖN *(zurückkommend)*. Das war ein Stück Arbeit. *(Nach einer Pause, nach links sehend.)* Er hatte sie doch vorher ins Atelier gebracht . . .?   5

(Fürchterliches Stöhnen von rechts.)

SCHÖN *(eilt an die Tür rechts, findet sie verschlossen)*. Mach' auf! Mach' auf!

LULU *(links aus der Portiere tretend)*. Was ist . . .

SCHÖN. Mach' auf!   10

LULU *(kommt die Stufen herab)*. Das ist grauenvoll.

SCHÖN. Hast du kein Beil in der Küche?

LULU. Er wird schon aufmachen . . .

SCHÖN. Ich mag sie nicht eintreten.

LULU. Wenn er sich ausgeweint hat.   15

SCHÖN *(gegen die Tür stampfend)*. Mach' auf! *(Zu Lulu.)* Hol' mir ein Beil.

LULU. Zum Arzt schicken . . .

SCHÖN. Du bist nicht bei Trost.

LULU. Das geschieht Ihnen recht.   20

(Es läutet auf dem Korridor. Schön und Lulu starren einander an.)

SCHÖN *(schleicht nach hinten, bleibt in der Tür stehen)*. Ich darf mich jetzt hier nicht sehen lassen.

LULU. Vielleicht der Kunsthändler.

(Es läutet.)   25

SCHÖN. Aber wenn wir nicht antworten . . .

LULU *(schleicht nach der Tür)*.

SCHÖN *(hält sie auf)*. Bleib. Man ist sonst auch nicht immer gleich bei der Hand. *(Geht auf den Fußspitzen hinaus.)*

LULU *(kehrt zu der verschlossenen Tür zurück und horcht)*.   30

Sechster Auftritt

ALWA SCHÖN. DIE VORIGEN. *Später* HENRIETTE.

SCHÖN *(Alwa hereinführend).* Sei bitte ruhig.

ALWA *(sehr aufgeregt).* In Paris ist Revolution ausgebrochen.

5 SCHÖN. Sei ruhig.

ALWA *(zu Lulu).* Sie sind totenbleich.

SCHÖN *(an der Tür rüttelnd).* Walter! – Walter!
    (Man hört röcheln.)

LULU. Gott erbarm' dich ...

10 SCHÖN. Hast du kein Beil geholt?

LULU. Wenn eines da ist ... *(Zögernd nach rechts hinten ab.)*

ALWA. Er mystifiziert uns.

SCHÖN. In Paris ist Revolution ausgebrochen?

ALWA. Auf der Redaktion rennen sie sich den Kopf gegen die

15   Wand. Keiner weiß, was er schreiben soll.

(Es läutet auf dem Korridor.)

SCHÖN *(gegen die Tür stampfend).* Walter!

ALWA. Soll ich sie einrennen?

SCHÖN. Das kann ich auch. Wer da noch kommen mag! *(Sich*

20   *emporrichtend.)* Das freut sich des Lebens und läßt es andere
    verantworten!

LULU *(kommt mit einem Küchenbeil zurück).* Henriette ist nach
    Hause gekommen.

SCHÖN. Schließ' die Tür hinter dir.

25 ALWA. Geben Sie her. *(Nimmt das Beil und stößt es zwischen Pfo-*
    sten und Türschloß.)

SCHÖN. Du mußt es kräftiger fassen.

ALWA. Es kracht schon. *(Die Tür springt aus dem Schloß. Er läßt*
    das Beil fallen und taumelt zurück.) – – *(Pause.)*

30 LULU *(auf die Tür deutend, zu Schön).* Nach Ihnen.

SCHÖN *(weicht zurück).*

LULU. Ihnen wird – schwindelig ...?

SCHÖN *(wischt sich den Schweiß von der Stirn und tritt ein).*

ALWA *(auf der Chaiselongue).* Gräßlich!

LULU *(sich am Türpfosten haltend, die Finger zum Mund erhoben, schreit jäh auf).* Oh! – Oh! *(Eilt zu Alwa.)* Ich kann nicht hier bleiben.

ALWA. Grauenhaft!

LULU *(ihn bei der Hand nehmend).* Kommen Sie.   5

ALWA. Wohin?

LULU. Ich kann nicht allein sein.
(Mit Alwa nach links ab.)

SCHÖN *(kommt von rechts zurück, ein Schlüsselbund in der Hand; die Hand zeigt Blut; zieht die Tür hinter sich zu, geht zum Schreib-* 10 *tisch, schließt auf und schreibt zwei Billetts).*

ALWA *(von links kommend).* Sie zieht sich um.

SCHÖN. Sie ist fort?

ALWA. Auf ihr Zimmer. Sie zieht sich um.

SCHÖN *(klingelt).*   15

HENRIETTE *(tritt ein).*

SCHÖN. Sie wissen, wo der Doktor Bernstein wohnt.

HENRIETTE. Gewiß, Herr Doktor. Gleich nebenan.

SCHÖN *(ihr ein Billett gebend).* Bringen Sie das hinüber.

HENRIETTE. Im Falle, daß der Herr Doktor nicht zu Hause 20 ist?

SCHÖN. Er ist zu Hause. *(Ihr das andere Billett gebend.)* Und das bringen Sie auf die Polizeidirektion. Nehmen Sie eine Droschke.

HENRIETTE *(ab).*   25

SCHÖN. Ich bin gerichtet.

ALWA. Mir erstarrt das Blut.

SCHÖN *(nach rechts).* Der Narr!

ALWA. Es ist ihm wohl ein Licht aufgegangen?

SCHÖN. Er hat sich zuviel mit sich selbst beschäftigt.   30

LULU *(auf den Stufen links in Staubmantel und Spitzenhut).*

ALWA. Wo wollen Sie denn jetzt hin?

LULU. Hinaus. Ich sehe es an allen Wänden.

SCHÖN. Wo hat er seine Papiere?

LULU. Im Schreibtisch.   35

SCHÖN *(am Schreibtisch).* Wo?

LULU. Rechts unten. *(Kniet vor dem Schreibtisch nieder, öffnet eine Schublade und leert die Papiere auf den Boden.)* Hier. Es ist nichts zu fürchten. Er hatte keine Geheimnisse.

SCHÖN. Jetzt kann ich mich von der Welt zurückziehen.

5 LULU *(kniend)*. Schreiben Sie ein Feuilleton. Nennen Sie ihn Michel Angelo.

SCHÖN. Was hilft das – *(nach rechts deutend.)* Da liegt meine Verlobung!

ALWA. Das ist der Fluch deines Spiels!

10 SCHÖN. Schrei es durch die Straßen!!

ALWA *(auf Lulu deutend)*. Hättest du, als meine Mutter starb, an dem Mädchen gehandelt, wie es recht und billig gewesen wäre.

SCHÖN *(nach rechts)*. Da verblutet meine Verlobung!

15 LULU *(sich erhebend)*. Ich bleibe nicht länger hier.

SCHÖN. In einer Stunde verkauft man die Extrablätter. Ich darf mich nicht auf die Straße wagen.

LULU. Was können Sie denn dafür?

SCHÖN. Deshalb gerade! Mich steinigt man dafür!

20 ALWA. Du mußt verreisen.

SCHÖN. Um dem Skandal freies Feld zu lassen!

LULU *(an der Chaiselongue)*. Vor zehn Minuten noch lag er hier.

SCHÖN. Das ist der Dank, für das, was ich für ihn getan habe! Wirft mir in einer Sekunde mein ganzes Leben in Trümmer!

25

ALWA. Mäßige dich, bitte!

LULU *(auf der Chaiselongue)*. Wir sind unter uns.

ALWA. Und wie!

SCHÖN *(zu Lulu)*. Was willst du der Polizei sagen?

30 LULU. Nichts.

ALWA. Er wollte seinem Geschick nichts schuldig bleiben.

LULU. Er hatte immer gleich Mordgedanken.

SCHÖN. Er hatte, was sich ein Mensch nur erträumen kann!

LULU. Er hat es teuer bezahlt.

35 ALWA. Er hatte, was w i r nicht haben!

SCHÖN *(jäh aufbrausend)*. Ich kenne deine Gründe. Ich habe nicht Ursache, Rücksicht auf dich zu nehmen! Wenn du

alles in Bewegung setzst, um keine Geschwister neben dir
zu haben, so ist das für mich ein Grund mehr, mir andere
Kinder zu erziehen.

ALWA. Du bist ein schlechter Menschenkenner.

LULU. Geben Sie doch selber ein Extrablatt aus.   5

SCHÖN *(im Ton der heftigsten Empörung).* Er hatte kein mora-
lisches Gewissen! *(Indem er plötzlich seine Fassung wieder-
gewinnt.)* Paris revolutioniert –?

ALWA. Unsere Redakteure sind wie vom Schlag getroffen.
Alles stockt.   10

SCHÖN. Das muß mir darüber hinweghelfen! – – Wenn nun
nur die Polizei käme. Die Minuten sind nicht mit Gold zu
bezahlen.

(Es läutet auf dem Korridor.)

ALWA. Da sind sie . . .   15

SCHÖN *(will zur Tür).*

LULU *(aufspringend).* Warten Sie, Sie haben Blut.

SCHÖN. Wo . . .?

LULU. Warten Sie, ich wische es weg. *(Besprengt ihr Taschentuch
mit Heliotrop und wischt Schön das Blut von der Hand.)*   20

SCHÖN. Es ist deines Gatten Blut.

LULU. Es läßt keine Flecken.

SCHÖN. Ungeheuer!

LULU. Sie heiraten mich ja doch.

(Es läutet auf dem Korridor.)   25

LULU. Nur Geduld, Kinder.

SCHÖN *(rechts hinten ab).*

Siebenter Auftritt

ESCHERICH. DIE VORIGEN.

ESCHERICH *(von Schön hereingeleitet, atemlos).* Erlauben Sie, daß   30
ich – daß ich mich Ihnen – Ihnen vorstelle . . .

SCHÖN. Sie sind gelaufen?

ESCHERICH *(seine Karte überreichend).* Von der Polizeidirektion her. Ein Selbstmord, hör' ich.

SCHÖN *(liest).* Fritz Escherich, Korrespondent der »Kleinen Neuigkeiten«. – Kommen Sie.

5 ESCHERICH. Einen Moment. *(Nimmt Notizbuch und Bleistift vor, sieht sich im Salon um, schreibt einige Worte, verbeugt sich gegen Lulu, schreibt, wendet sich zu der erbrochenen Tür, schreibt.)* Ein Küchenbeil . . . *(Will es aufheben.)*

SCHÖN *(ihn zurückhaltend).* Bitte.

10 ESCHERICH *(schreibt).* Tür aufgebrochen mit Küchenbeil. *(Untersucht das Schloß.)*

SCHÖN *(die Hand an der Tür).* Sehen Sie sich vor, mein Lieber.

ESCHERICH. Wenn Sie jetzt die Liebenswürdigkeit haben wollen, die Tür zu öffnen.

15 SCHÖN *(öffnet die Tür).*

ESCHERICH *(läßt Buch und Bleistift fallen, fährt sich in die Haare).* O du barmherziger Himmel noch mal . . .!

SCHÖN. Sehen Sie sich alles genau an!

ESCHERICH. Ich kann nicht hinsehen.

20 SCHÖN *(ihn höhnisch anschnauzend).* Wozu sind Sie denn hergekommen!

ESCHERICH. Sich mit dem – Ra-Rasiermesser – den Ha-Hals abschneiden . . .

SCHÖN. Haben Sie alles gesehen?

25 ESCHERICH. Das muß ein Gefühl sein!

SCHÖN *(zieht die Tür zu, tritt zum Schreibtisch).* Setzen Sie sich. Hier ist Papier und Feder. Schreiben Sie.

ESCHERICH *(der mechanisch Platz genommen).* Ich kann nicht schreiben . . .

30 SCHÖN *(hinter seinem Stuhl stehend).* Schreiben Sie! – Verfolgungswahn . . .

ESCHERICH *(schreibt).* Ver-fol-gungs-wahn . . .

(Es läutet auf dem Korridor.)

Dritter Aufzug

Garderobe im Theater, mit rotem Tuch ausgeschlagen. Links hinten die Tür. Rechts hinten eine spanische Wand. In der Mitte, mit der Schmalseite gegen den Zuschauer, ein langer Tisch, auf dem Tanzkostüme liegen. Rechts und links vom Tisch je ein Sessel. Links vorn Tischchen mit Sessel. Rechts vorn ein hoher Spiegel, daneben ein hoher, sehr breiter, altmodischer Armsessel. Vor dem Spiegel ein Puff, Schminkschatulle usw. usw.

Erster Auftritt

LULU. ALWA. *Gleich darauf* SCHÖN.

ALWA *(links vorn, füllt zwei Gläser mit Champagner und Rotwein).* Seit ich für die Bühne arbeite, habe ich kein Publikum so außer Rand und Band gesehen.

LULU *(unsichtbar, hinter der spanischen Wand).* Geben Sie mir nicht zu viel Rotwein. – Sieht er mich heute?

ALWA. Mein Vater?

LULU. Ja.

ALWA. Ich weiß nicht, ob er im Theater ist.

LULU. Er will mich wohl gar nicht sehen?

ALWA. Er hat so wenig Zeit.

LULU. Seine B r a u t nimmt ihn in Anspruch.

ALWA. Spekulationen. Er gönnt sich keine Ruhe. – *(Da Schön eintritt.)* Du? Eben sprechen wir von dir.

LULU. Ist er da?

SCHÖN. Du ziehst dich um?

LULU *(über die spanische Wand wegsehend, zu Schön).* Sie schreiben in allen Zeitungen, ich sei die geistvollste Tänzerin, die je die Bühne betreten, ich sei eine zweite Taglioni und was weiß ich, und Sie finden mich nicht einmal geistvoll genug, um sich davon zu überzeugen!

SCHÖN. Ich habe soviel zu schreiben. Du siehst, daß ich recht hatte. Es waren kaum mehr Plätze zu haben. – Du mußt dich etwas mehr im Proszenium halten!

LULU. Ich muß mich erst an das Licht gewöhnen.

ALWA. Sie hat sich strikte an ihre Rolle gehalten.

SCHÖN *(zu Alwa).* Du mußt deine Darsteller besser ausnützen! Du verstehst dich noch nicht genug auf die Technik. *(Zu Lulu.)* Als was kommst du jetzt?

LULU. Als Blumenmädchen . . .

SCHÖN *(zu Alwa).* In Trikots?

ALWA. Nein. In fußfreiem Kleid.

SCHÖN. Du hättest dich lieber nicht mit dem Symbolismus einlassen sollen!

ALWA. Ich sehe der Tänzerin auf die Füße.

SCHÖN. Es kommt darauf an, worauf das Publikum sieht! Eine Erscheinung wie s i e hat deine symbolistischen Hanswurstiaden gottlob nicht nötig.

ALWA. Das Publikum sieht nicht danach aus, als ob es sich langweilte!

SCHÖN. Natürlich! Weil ich in der Presse seit sechs Monaten auf ihren Erfolg hingearbeitet habe. – War der P r i n z hier?

ALWA. Es war niemand hier.

SCHÖN. Wer wird eine Tänzerin zwei Akte hindurch in Regenmänteln auftreten lassen!

ALWA. Wer ist denn der Prinz?

SCHÖN. – Wir sehen uns noch?

ALWA. Bist du allein?

SCHÖN. Mit Bekannten. – Bei Peters?

ALWA. Um zwölf?

SCHÖN. Um zwölf. *(Ab.)*

LULU. Ich hatte schon daran verzweifelt, daß er je kommen werde!

ALWA. Lassen Sie sich durch seine griesgrämigen Nörgeleien nicht beirren. Wenn Sie nur ja darauf achten wollen, daß Sie Ihre Kräfte nicht vor Beginn der letzten Nummer vergeuden.

LULU *(tritt hinter der spanischen Wand vor in antikem, fußfreiem,*

ärmellosem weißem Kleid mit rotem Saum, einen bunten Kranz im
Haar, einen Korb voll Blumen in den Händen).

LULU. Er scheint es gar nicht gemerkt zu haben, wie geschickt
Sie Ihre Darsteller ausnützen!

ALWA. Ich werde doch im ersten Akt nicht Sonne, Mond und   5
Sterne verpaffen.

LULU *(das Glas an den Lippen).* Sie enthüllen mich gradatim.

ALWA. Ich wußte doch, daß Sie sich darauf verstehen,
Kostüme zu wechseln.

LULU. Hätte ich meine Blumen s o vor dem Alhambra-Café   10
verkaufen wollen, man hätte mich schon gleich in der ersten Nacht hinter Schloß und Riegel gesetzt.

ALWA. Warum denn!? Sie waren ein Kind!

LULU. Wissen Sie noch, wie ich zum erstenmal in Ihr Zimmer
trat?   15

ALWA *(nickt).* Sie trugen ein dunkelblaues Kleid mit schwarzem Samt.

LULU. Man mußte mich verstecken und wußte nicht wo.

ALWA. Meine Mutter lag damals schon seit zwei Jahren auf
dem Krankenbett . . .   20

LULU. Sie spielten Theater und fragten mich, ob ich mitspie-
len wolle.

ALWA. Gewiß! Wir spielten Theater!

LULU. Ich sehe Sie noch, wie Sie die Figuren hin und her
schoben.   25

ALWA. Es war mir noch lange die entsetzlichste Erinnerung,
wie ich mit einemmal klar in die Verhältnisse sah.

LULU. Da wurden Sie eisig gemessen gegen mich.

ALWA. Ach Gott – ich sah etwas so unendlich hoch über mir
Stehendes in Ihnen. Ich hegte vielleicht eine höhere Vereh- 30
rung für Sie, als für meine Mutter. Denken Sie, als meine
Mutter starb – ich war siebzehn Jahre alt –, da trat ich vor
meinen Vater und forderte ihn auf, daß er Sie augenblick-
lich zu seiner Frau mache, sonst müßten wir uns duel-
lieren.   35

LULU. Das hat er mir damals erzählt.

ALWA. Seit ich älter bin, kann ich ihn nur noch bemitleiden. Er wird mich nie begreifen. Da phantasiert er sich eine kleine Diplomatie zusammen, die mich dazu bestimmen soll, seiner Verheiratung mit der Komtesse entgegenzu-
5 arbeiten.

LULU. Blickt sie denn immer noch so unschuldig in die Welt hinaus?

ALWA. Sie liebt ihn; das ist meine Überzeugung. Ihre Familie hat alles in Bewegung gesetzt, um sie zum Rücktritt zu
10 veranlassen. Ich glaube nicht, daß ihr ein Opfer auf dieser Welt zu groß wäre um seinetwillen.

LULU *(hält ihm ihr Glas hin)*. Noch etwas, bitte.

ALWA *(ihr einschenkend)*. Sie trinken zuviel.

LULU. Er soll an meinen Erfolg glauben lernen! Er glaubt an
15 keine Kunst. Er glaubt nur an Zeitungen.

ALWA. Er glaubt an nichts.

LULU. Er hat mich ans Theater gebracht, damit sich eventuell jemand findet, der reich genug ist, um mich zu heiraten.

ALWA. Nun ja! Was braucht uns das zu kümmern!
20 LULU. Mich soll es freuen, wenn ich mich in das Herz eines Millionärs hineintanzen kann.

ALWA. Gott verhüte, daß man Sie uns entführt!

LULU. Sie haben doch die Musik dazu komponiert.

ALWA. Sie wissen, daß es immer mein Wunsch war, ein Stück
25 für Sie zu schreiben.

LULU. Ich bin aber gar nicht für die Bühne geschaffen.

ALWA. Sie sind als Tänzerin auf die Welt gekommen.

LULU. Warum schreiben Sie Ihre Stücke denn nicht wenigstens so interessant, wie das Leben ist?
30 ALWA. Weil uns das kein Mensch glauben würde.

LULU. Wenn ich mich nicht besser aufs Theaterspielen verstände, als man auf der Bühne spielt, was hätte aus mir werden wollen.

ALWA. Ich habe Ihre Rolle doch mit allen erdenklichen Un-
35 möglichkeiten ausgestattet.

LULU. Mit solchem Hokuspokus lockt man in der Wirklichkeit noch keinen Hund vom Ofen.

ALWA. Mir ist es genug, daß sich das Publikum in die wahnsinnigste Aufregung versetzt sieht.

LULU. Ich möchte mich aber gern selbst in die wahnsinnigste   5
Aufregung versetzt sehen! *(Trinkt.)*

ALWA. Dazu scheint Ihnen auch nicht viel mehr zu fehlen.

LULU. Wie können Sie sich darüber wundern, da mein Auftreten doch einen höheren Zweck hat! Es gehen schon einige da unten ganz ernstlich mit sich zu Rate. – Ich fühle das,   10
ohne daß ich hinsehe.

ALWA. Wie fühlen Sie denn das?

LULU. Keiner ahnt was vom andern. Jeder meint, er sei allein
das unglückliche Opfer.

ALWA. Wie können Sie denn das fühlen?   15

LULU. Es läuft einem so ein eisiger Schauer am Körper herauf.

ALWA. Sie sind unglaublich . . .
(Eine elektrische Klingel tönt über der Tür.)

LULU. Mein Tuch . . . Ich werde mich im Proszenium halten! 20

ALWA *(ihr einen breiten Schal über die Schultern legend)*. Hier ist
Ihr Tuch.

LULU. Er soll nichts mehr für seine schamlose Reklame zu
fürchten haben.

ALWA. Wahren Sie Ihre Selbstbeherrschung!   25

LULU. Gebe Gott, daß ich einem den letzten Funken Verstand
zum Kopf hinaustanze. *(Ab.)*

Zweiter Auftritt

ALWA *(allein)*. Über die ließe sich freilich ein interessanteres
Stück schreiben. *(Setzt sich links, nimmt sein Notizbuch vor und*   30
notiert. Aufblickend.) Erster Akt: Dr. Goll. Schon faul! Ich
kann den Dr. Goll aus dem Fegefeuer zitieren, oder wo er
seine Orgien büßt, man wird m i c h für seine Sünden ver-

antwortlich machen. – *(Langanhaltendes, stark gedämpftes Klatschen und Bravorufen wird von außen hörbar.)* – Das tobt, wie in der Menagerie, wenn das Futter vor dem Käfig erscheint. – Zweiter Akt: Walter Schwarz. Noch unmöglicher! Wie die Seelen die letzte Hülle abstreifen im Licht solcher Blitzschläge! – Dritter Akt? – Sollte es wirklich so fortgehen?! –
(Die Garderobiere öffnet von außen und läßt ESCERNY *eintreten.)*

Dritter Auftritt

ESCERNY. ALWA.

ESCERNY *(tut, als ob er zu Hause wäre, und nimmt, ohne Alwa zu beachten, rechts neben dem Spiegel Platz).*

ALWA *(links sitzend, ohne auf Escerny zu achten).* Es kann im dritten Akt nicht so fortgehen!

ESCERNY. Bis zur Mitte des dritten Aktes schien es heute nicht so gut zu gehen wie sonst.

ALWA. Ich war nicht auf der Bühne.

ESCERNY. Jetzt ist sie wieder in vollem Zug.

ALWA. – Sie zieht die Nummer in die Länge.

ESCERNY. Ich hatte bei Herrn Dr. Schön einmal das Vergnügen, der Künstlerin zu begegnen.

ALWA. Mein Vater hat sie durch einige Besprechungen in seiner Zeitung beim Publikum eingeführt.

ESCERNY *(sich leicht verneigend).* Ich konferierte mit Herrn Dr. Schön der Herausgabe meiner Forschungen am Tanganjika-See wegen.

ALWA *(sich leicht verneigend).* Seine Äußerungen lassen keinen Zweifel darüber, daß das lebhafteste Interesse an Ihrem Werk nimmt.

ESCERNY. Wohltuend berührt es an der Künstlerin, daß das Publikum für sie gar nicht vorhanden ist.

ALWA. Das Sichumkleiden hat sie schon als Kind gelernt. Aber ich war überrascht, eine so bedeutende Tänzerin in ihr zu entdecken.

ESCERNY. Wenn sie ihr Solo tanzt, berauscht sie sich an ihrer eigenen Schönheit – in die sie selber zum Sterben verliebt zu sein scheint.

ALWA. Da kommt sie. *(Erhebt sich, öffnet die Tür.)*

Vierter Auftritt 5

LULU. DIE VORIGEN.

LULU *(ohne Kranz und Blumenkorb, zu Alwa)*. Sie werden herausgerufen. Ich war dreimal vor dem Vorhang. *(Zu Escerny.)* Herr Dr. Schön ist nicht in Ihrer Loge?

ESCERNY. In meiner Loge nicht. 10

ALWA *(zu Lulu)*. Haben Sie ihn nicht gesehen?

LULU. Er wird wieder fort sein.

ESCERNY. Er hat die letzte Parkettloge links.

LULU. Er scheint sich meiner zu schämen!

ALWA. Er hat keinen guten Platz mehr bekommen. 15

LULU *(zu Alwa)*. Fragen Sie ihn doch, ob ich ihm jetzt besser gefallen habe.

ALWA. Ich werde ihn heraufschicken.

ESCERNY. Er hat applaudiert.

LULU. Hat er das wirklich? 20

ALWA. Gönnen Sie sich etwas Ruhe. *(Ab.)*

Fünfter Auftritt

LULU. ESCERNY.

LULU. Ich muß mich ja wieder umziehen.

ESCERNY. Aber Ihre Garderobiere ist ja nicht hier? 25

LULU. Ich kann das rascher allein. Wo sagten Sie, daß Dr. Schön sitzt?

ESCERNY. Ich sah ihn in der hintersten Parkettloge links.

LULU. Jetzt habe ich noch fünf Kostüme vor mir: Dancing-

girl, Ballerina, Königin der Nacht, Ariel und Lascaris . . .
(Tritt hinter die spanische Wand zurück.)

ESCERNY. Würden Sie es für möglich halten, daß ich bei unserem ersten Renkontre nicht anders gewärtig war, als mit
5 einer jungen Dame aus der literarischen Welt bekannt zu
werden? – – – *(Setzt sich rechts neben den Mitteltisch, wo er bis
zum Schluß der Szene sitzen bleibt.)* Sollte ich mich in der Beurteilung Ihrer Natur irren, oder habe ich das Lächeln, das
die dröhnenden Beifallsstürme auf Ihren Lippen hervorru-
10 fen, richtig gedeutet? – –: daß Sie unter der Notwendigkeit,
Ihre Kunst vor Leuten von zweifelhaften Interessen ent-
würdigen zu müssen, innerlich leiden? – – – *(Da Lulu nicht
antwortet.)* Daß Sie den Schimmer der Öffentlichkeit jeden
Augenblick für ein ruhiges, sonniges Glück in vornehmer
15 Abgeschlossenheit eintauschen würden? – *(Da Lulu nicht
antwortet.)* Daß Sie Hoheit und Würde genug in sich fühlen,
einen Mann zu Ihren Füßen zu fesseln – um sich an seiner
vollkommenen Hilflosigkeit zu erfreuen? – – – *(Da Lulu
nicht antwortet.)* Daß Sie sich an einem würdigeren Platz als
20 hier in einer mit reichlichem Komfort ausgestatteten Villa
fühlen würden – bei unbegrenzten Mitteln – um durchaus
als Ihre e i g e n e H e r r i n zu leben?

LULU *(in kurzem hellem Plisseeunterrock und weißem Atlaskorsett,
schwarzen Schuhen und Strümpfen, Schellensporen unter den Ab-
25 sätzen, tritt hinter der spanischen Wand vor, mit dem Schnüren
ihres Korsetts beschäftigt).* Wenn ich nur einen Abend mal
nicht auftrete, dann träume ich die ganze Nacht hindurch,
daß ich tanze, und fühle mich am folgenden Tag wie ge-
rädert . . .

30 ESCERNY. Aber was könnte es Ihnen dabei ausmachen, statt
dieses Pöbels nur e i n e n Zuschauer, einen Auserwählten,
vor sich zu sehen?

LULU. Das könnte mir gleichgültig sein. Ich sehe ja doch
niemanden.

35 ESCERNY. Ein erleuchteter Gartensaal – das Plätschern vom
See herauf . . . Ich bin auf meinen Forschungsreisen näm-

lich zur Ausübung eines ganz unmenschlichen Despotismus gezwungen . . .

LULU (*vor dem Spiegel, sich eine Perlenkette um den Hals legend*). Eine gute Schule!

ESCERNY. Wenn ich mich jetzt danach sehne, mich ohne irgendwelchen Vorbehalt der Gewalt einer Frau zu überliefern, so ist das ein natürliches Bedürfnis nach Abspannung . . . Können Sie sich ein höheres Lebensglück für eine Frau denken, als einen Mann vollkommen in ihrer Gewalt zu haben?

LULU (*mit den Absätzen klirrend*). O ja!

ESCERNY (*verwirrt*). Unter gebildeten Menschen finden Sie nicht einen, der Ihnen gegenüber nicht den Kopf verliert.

LULU. Ihre Wünsche erfüllt Ihnen aber niemand, ohne Sie dabei zu hintergehen.

ESCERNY. Von einem Mädchen wie Sie betrogen zu werden, muß noch zehnmal beglückender sein, als von jemand anders aufrichtig geliebt zu werden.

LULU. Sie sind in Ihrem Leben noch von keinem Mädchen aufrichtig geliebt worden! (*Sich rücklings gegen ihn stellend, auf ihr Korsett deutend.*) Würden Sie mir den Knoten auflösen. Ich habe mich zu fest geschnürt. Ich bin immer so aufgeregt beim Ankleiden.

ESCERNY (*nach wiederholtem Versuch*). Ich bedaure; ich kann es nicht.

LULU. Dann lassen Sie. Vielleicht kann ich es. (*Geht nach rechts.*)

ESCERNY. Ich gestehe ein, daß es mir an Geschicklichkeit gebricht. Ich war vielleicht im Verkehr mit Frauen nicht gelehrig genug.

LULU. Dazu haben Sie in Afrika wohl auch nicht viel Gelegenheit?

ESCERNY (*ernst*). Lassen Sie mich Ihnen offen gestehen, daß mir meine Vereinsamung in der Welt manche Stunde verbittert.

LULU. Gleich ist der Knoten auf . . .

ESCERNY. Was mich zu Ihnen hinzieht, ist nicht Ihr Tanz.
Es ist Ihre körperliche und seelische Vornehmheit, wie
sie sich in jeder Ihrer Bewegungen offenbart. Wer sich so
5   sehr wie ich für Kunstwerke interessiert, kann sich darin
nicht täuschen. Ich habe während zehn Abenden Ihr See-
lenleben aus Ihrem Tanze studiert, bis ich heute, als Sie
als Blumenmädchen auftraten, vollkommen mit mir ins
klare kam. Sie sind eine großangelegte Natur – uneigen-
10   nützig. Sie können niemanden leiden sehen. Sie sind das
verkörperte Lebensglück. Als Gattin werden Sie einen
Mann über alles glücklich machen . . . Ihr ganzes Wesen
ist Offenherzigkeit. – Sie wären eine schlechte Schauspielerin . . .

15   *(Die elektrische Klingel tönt über der Tür.)*

LULU *(hat die Schnüre ihres Korsetts etwas gelockert, holt tief Atem,
mit den Absätzen klirrend).* Jetzt kann ich wieder atmen. Der
Vorhang geht auf. *(Sie nimmt vom Mitteltisch ein Skirtdance-
kostüm – Plissee, hellgelbe Seide, ohne Taille, am Hals geschlossen,*
20   *bis zu den Knöcheln reichend, weite Blusenärmel – und wirft es
sich über.)* Ich muß tanzen.

ESCERNY *(erhebt sich und küßt ihr die Hand).* Erlauben Sie mir,
noch ein wenig hierzubleiben.

LULU. Bitte, bleiben Sie.

25 ESCERNY. Ich bedarf etwas der Einsamkeit.

    (Lulu ab.)

Sechster Auftritt

ESCERNY *(allein).* Was ist Noblesse? – Ist es Verschrobenheit,
wie bei mir? – Oder ist es leibliche und geistige Vervoll-
30   kommnung, wie bei diesem Mädchen? – *(Klatschen und
Bravorufen wird hörbar.)* Wer mir den Glauben an die Menschen zurückgibt, gibt mir mein Leben zurück. – Sollten

Kinder dieser Frau nicht fürstlicher sein an Leib und
Seele, als Kinder, deren Mutter nicht mehr Lebensfähig-
keit in sich hat, als ich bis heute in mir fühlte? *(Er setzt
sich links vorn, schwärmerisch.)* Der Tanz hat ihren Körper
geadelt ...   5

Siebenter Auftritt

ALWA. ESCERNY.

ALWA. Man ist keinen Moment sicher, daß nicht ein armseli-
ger Zufall der Vorstellung den Garaus macht!
(Er wirft sich rechts neben dem Spiegel in den Armsessel, so daß die   10
beiden Herren gerade umgekehrt wie vorher placiert sind. Beide
führen die Unterhaltung etwas blasiert und apathisch.)
ESCERNY. So dankbar hat sich das Publikum aber noch nie
gezeigt.
ALWA. Sie hat den Skirtdance beendet.   15
ESCERNY. – Ich höre sie kommen ...
ALWA. Sie kommt nicht. – Sie hat keine Zeit. – Sie wechselt das
Kostüm hinter der Kulisse.
ESCERNY. Sie hat zwei Ballerinakostüme, wenn ich nicht irre?
ALWA. Ich finde, daß ihr das weiße besser steht, als das in   20
Rosa.
ESCERNY. Finden Sie?
ALWA. Sie nicht?
ESCERNY. Ich finde, sie sieht in dem weißen Tüll zu körperlos
aus.   25
ALWA. Ich finde, sie sieht in dem Rosatüll zu animalisch aus.
ESCERNY. Ich finde das nicht.
ALWA. Der weiße Tüll bringt mehr das Kindliche ihrer Natur
zum Ausdruck!
ESCERNY. Der Rosatüll bringt mehr das Weibliche ihrer Natur   30
zum Ausdruck!

(Die elektrische Klingel tönt über der Tür.)

ALWA (aufspringend). Um Gottes willen, was ist da los!
ESCERNY (sich gleichfalls erhebend). Was ist mit Ihnen?

(Die elektrische Klingel tönt fort bis zum Schlusse der Szene.)

ALWA. Da ist was passiert ...
5 ESCERNY. Wie können Sie gleich so erschrecken?
ALWA. Das muß eine höllische Verwirrung sein. (Ab.)
ESCERNY (folgt ihm).

(Die Tür bleibt offen. Man hört gedämpfte Walzerklänge.)

(Pause.)

10   Achter Auftritt

LULU (in langem Theatermantel, tritt ein und zieht die Tür hinter
sich zu. Sie trägt ein rosa Ballettkostüm mit Blumengirlanden, geht
quer über die Bühne und nimmt in dem Armsessel neben dem
Spiegel Platz).

15   (Pause.)

          Neunter Auftritt

ALWA. LULU. – Gleich darauf SCHÖN.

ALWA. Sie hatten einen Ohnmachtsanfall?
LULU. Ich bitte Sie, schließen Sie zu.
20 ALWA. Kommen Sie wenigstens auf die Bühne.
LULU. Haben Sie ihn gesehen?
ALWA. Wen gesehen?
LULU. Mit seiner Braut??
ALWA. Mit seiner . . . (Zu Schön, der eintritt.) Den Scherz hättest
25   du dir sparen können!
SCHÖN. Was ist mit ihr? (Zu Lulu.) Wie kannst du die Szene
     gegen mich ausspielen!!
LULU. Ich fühle mich wie geprügelt.

SCHÖN *(nachdem er die Tür verriegelt).* Du wirst tanzen – so
   wahr ich mir die Verantwortung für dich aufgeladen!
LULU. Vor Ihrer Braut?
SCHÖN. Hast du ein Recht, dich darum zu kümmern, vor
   wem? – Du bist hier engagiert. Du erhältst deine Gage . . .   5
LULU. Ist das Ihre Sache?
SCHÖN. Du tanzt vor jedem, der sein Billett löst. Mit wem ich
   in meiner Loge sitze, hat keine Beziehung zu deiner Tätig-
   keit!
ALWA. Wärest du in deiner Loge sitzengeblieben! *(Zu Lulu.)*   10
   Sagen Sie mir bitte, was ich tun soll. *(Von außen wird ge-
   pocht.)* Da ist der Direktor. *(Ruft.)* Gleich, gleich. Einen
   Augenblick. *(Zu Lulu.)* Sie werden uns nicht zwingen wol-
   len, die Vorstellung abzubrechen!
SCHÖN *(zu Lulu).* Auf die Bühne mit dir!   15
LULU. Lassen Sie mir nur einen Augenblick. Ich kann jetzt
   nicht. Mir ist sterbenselend.
ALWA. Hol' der Henker den ganzen Kulissenkram!
LULU. Schalten Sie die nächste Nummer ein. Das merkt kein
   Mensch, ob ich jetzt tanze oder in fünf Minuten. Ich habe   20
   keine Kraft in den Füßen.
ALWA. Aber dann tanzen Sie?
LULU. So gut ich kann . . .
ALWA. So schlecht Sie wollen. *(Da von außen gepocht wird.)* Ich
   komme. *(Ab.)*   25

Zehnter Auftritt

SCHÖN. LULU.

LULU. Sie haben recht, daß Sie mir zeigen, wo ich hingehöre.
   Das konnten Sie nicht besser, als wenn Sie mich vor Ihrer
   Braut den Skirtdance tanzen lassen . . . Sie tun mir den   30
   größten Gefallen, wenn Sie mich darauf hinweisen, was
   meine Stellung ist.

SCHÖN *(höhnisch)*. Bei deiner Herkunft ist es ein Glück sondergleichen für dich, daß du noch Gelegenheit hast, vor anständigen.Leuten aufzutreten!

LULU. Auch wenn sie über meine Schamlosigkeit nicht wis-
5 sen, wohin sehen.

SCHÖN. Albernes Geschwätz! – Schamlosigkeit? – Mach' aus der Tugend keine Not! – Deine Schamlosigkeit ist das, was man dir für jeden Schritt mit Gold aufwiegt. Der eine schreit Bravo, der andere schreit Pfui – das heißt für dich
10 das gleiche! – Kannst du dir einen glänzenderen Triumph wünschen, als wenn sich ein anständiges Mädchen kaum in der Loge zurückhalten läßt?!! Hat dein Leben denn ein anderes Ziel?! – Solang du noch einen Funken Achtung vor dir selber hast, bist du keine perfekte Tänzerin! Je fürchter-
15 licher es den Menschen vor dir graut, um so größer stehst du in deinem Beruf da!!

LULU. Es ist mir ja auch vollkommen gleichgültig, was man von mir denkt. Ich möchte um alles nicht besser sein als ich bin. Mir ist wohl dabei.

20 SCHÖN *(in moralischer Empörung)*. Das ist deine wahre Natur! Das nenne ich aufrichtig. – Eine Korruption!!

LULU. Ich wüßte nicht, daß ich je einen Funken Achtung vor mir gehabt hätte.

SCHÖN *(wird plötzlich mißtrauisch)*. Keine Harlekinaden . . .

25 LULU. O Gott – ich weiß sehr wohl, was aus mir geworden wäre, wenn Sie mich nicht davor bewahrt hätten.

SCHÖN. Bist du denn heute vielleicht etwas anderes??

LULU. Gott sei Dank, nein!

SCHÖN. Das ist echt!

30 LULU *(lacht)*. Und wie überglücklich ich dabei bin!

SCHÖN *(spuckt aus)*. Wirst du jetzt tanzen?

LULU. Wie und vor wem es ist!

SCHÖN. Also dann auf die Bühne!!

LULU *(kindlich bittend)*. Nur eine Minute noch. Ich bitte Sie.
35 Ich kann mich noch nicht aufrecht halten. – Man wird klingeln.

SCHÖN. Du bist dazu geworden, trotz allem, was ich für deine
　Erziehung und dein Wohl geopfert habe!
LULU *(ironisch)*. Sie hatten Ihren veredelnden Einfluß über-
　schätzt?
SCHÖN. Verschone mich mit deinen Witzen.　　　　　　　　　 5
LULU. – Der Prinz war hier.
SCHÖN. So?
LULU. Er nimmt mich mit nach Afrika.
SCHÖN. Nach Afrika?
LULU. Warum denn nicht? Sie haben mich ja zur Tänzerin 10
　gemacht, damit einer kommt und mich mitnimmt.
SCHÖN. Aber doch nicht nach Afrika!
LULU. Warum haben Sie mich denn nicht ruhig in Ohn-
　macht fallen lassen, und im stillen dem Himmel dafür ge-
　dankt?　　　　　　　　　　　　　　　　　　　　　 15
SCHÖN. Weil ich leider keinen Grund hatte, an deine Ohn-
　macht zu glauben!
LULU *(spöttisch)*. Sie hielten es unten nicht aus . . .?
SCHÖN. Weil ich dir zum Bewußtsein bringen muß, was du
　bist und zu wem du nicht aufzublicken hast!　　　　　 20
LULU. Sie fürchteten, meine Glieder könnten doch vielleicht
　ernstlich Schaden genommen haben?
SCHÖN. Ich weiß zu gut, daß du unverwüstlich bist.
LULU. Das wissen Sie also doch?
SCHÖN *(aufbrausend)*. Sieh mich nicht so unverschämt an!! 25
LULU. Es hält Sie niemand hier.
SCHÖN. Ich gehe, sobald es klingelt.
LULU. Sobald Sie die Energie dazu haben! – Wo ist Ihre Ener-
　gie? – Sie sind seit drei Jahren verlobt. Warum heiraten Sie
　nicht? – Sie kennen keine Hindernisse. Warum wollen Sie 30
　mir die Schuld geben? – Sie haben mir befohlen, Dr. Goll
　zu heiraten. Ich habe Dr. Goll gezwungen, mich zu heira-
　ten. Sie haben mir befohlen, den Maler zu heiraten. Ich
　habe gute Miene zum bösen Spiel gemacht. – Sie kreieren
　Künstler, Sie protegieren Prinzen. Warum heiraten Sie 35
　nicht?

SCHÖN *(wütend)*. Glaubst du denn vielleicht, daß du mir im
Weg stehst?!

LULU *(von jetzt an bis zum Schluß triumphierend)*. Wüßten Sie,
wie Ihre Wut mich glücklich macht! Wie stolz ich darauf
bin, daß Sie mich mit allen Mitteln demütigen! Sie erniedrigen mich so tief – so tief, wie man ein Weib erniedrigen
kann, weil Sie hoffen, Sie könnten sich dann eher über
mich hinwegsetzen. Aber Sie haben sich selber unsäglich
weh getan durch alles, was Sie mir eben sagten. Ich sehe es
Ihnen an. Sie sind schon beinahe am Ende Ihrer Fassung.
Gehen Sie! Um Ihrer schuldlosen Braut willen, lassen Sie
mich allein! Eine Minute noch, dann schlägt Ihre Stimmung um, und Sie machen mir eine andere Szene, die Sie
jetzt nicht verantworten können!

SCHÖN. Ich fürchte dich nicht mehr.

LULU. Mich? – Fürchten Sie sich selber! – Ich bedarf Ihrer
nicht. – Ich bitte Sie, gehen Sie! Geben Sie nicht mir die
Schuld. Sie wissen, daß ich nicht ohnmächtig zu werden
brauchte, um Ihre Zukunft zu zerstören. Sie haben ein
unbegrenztes Vertrauen in meine Ehrenhaftigkeit! Sie
glauben nicht nur, daß ich ein bestrickendes Menschenkind
bin; Sie glauben auch, daß ich ein herzensgutes Geschöpf
bin. Ich bin weder das eine, noch das andere. Das Unglück
für Sie ist nur, daß Sie mich dafür halten.

SCHÖN *(verzweifelt)*. Laß meine Gedanken gehen! Du hast
zwei Männer unter der Erde. Nimm den Prinzen, tanz' ihn
in Grund und Boden! Ich bin fertig mit dir. Ich weiß, wo
der Engel bei dir zu Ende ist und der Teufel beginnt. Wenn
ich die Welt nehme, wie sie geschaffen ist, so trägt der
Schöpfer die Verantwortung, nicht ich! Mir ist das Leben
keine Belustigung.

LULU. Dafür stellen Sie auch Ansprüche an das Leben, wie sie
höher niemand stellen kann . . . Sagen Sie mir, wer von uns
beiden ist wohl anspruchsvoller, Sie oder ich?!

SCHÖN. Schweig! Ich weiß nicht, wie und was ich denke.
Wenn ich dich höre, denke ich nicht mehr. In acht Tagen

bin ich verheiratet. Ich beschwöre dich – bei dem Engel,
der in dir ist, komm' mir derweil nicht mehr zu Gesicht!

LULU. Ich will meine Türe verschließen.

SCHÖN. Prahl' noch mit dir! – Ich habe, Gott ist mein Zeuge,
seit ich mit der Welt und dem Leben ringe, noch niemandem so geflucht! 5

LULU. Das kommt von meiner niederen Herkunft.

SCHÖN. Von deiner Verworfenheit!!

LULU. Mit tausend Freuden nehme ich die Schuld auf mich!
Sie müssen sich jetzt rein fühlen. Sie müssen sich jetzt für 10
den sittenstrengen Mustermenschen, für den Tugendbold
von unerschütterlichen Grundsätzen halten – sonst können Sie das Kind in seiner bodenlosen Unerfahrenheit gar
nicht heiraten . . .

SCHÖN. Willst du, daß ich mich an dir vergreife! 15

LULU (rasch). Ja! Ja! Was muß ich sagen, damit Sie es tun? Um
kein Königreich möchte ich jetzt mit dem unschuldigen
Kinde tauschen! Dabei liebt das Mädchen Sie, wie noch
kein Weib Sie je geliebt hat!!

SCHÖN. Schweig, Bestie! Schweig! 20

LULU. Heiraten Sie sie – dann tanzt sie in ihrem kindlichen
Jammer vor m e i n e n Augen, statt ich vor ihr!

SCHÖN (hebt die Faust). Verzeih' mir Gott . . .

LULU. Schlagen Sie mich! Wo haben Sie Ihre Reitpeitsche!
Schlagen Sie mich an die Beine . . . 25

SCHÖN (greift sich an die Schläfen). Fort, fort . . .! (Stürzt zur Türe,
besinnt sich, wendet sich um.) Kann ich jetzt so vor das Kind
hintreten? – Nach Hause! – Wenn ich zur Welt hinaus
könnte!

LULU. Seien Sie doch ein Mann. – Blicken Sie sich einmal ins 30
Gesicht. – Sie haben keine Spur von Gewissen. – Sie
schrecken vor keiner Schandtat zurück. – Sie wollen das
Mädchen, das Sie liebt, mit der größten Kaltblütigkeit
unglücklich machen. – Sie erobern die halbe Welt. – Sie
tun, was Sie wollen – und Sie wissen so gut wie ich – 35
daß . . .

SCHÖN *(ist völlig erschöpft auf dem Sessel links neben dem Mitteltisch zusammengesunken).* Schweig!

LULU. Daß Sie zu schwach sind – um sich von mir loszureißen . . .

5 SCHÖN *(stöhnend).* Oh! Oh! du tust mir weh!

LULU. Mir tut dieser Augenblick wohl – ich kann nicht sagen wie!

SCHÖN. Mein Alter! Meine Welt!

LULU. – Er weint wie ein Kind – der furchtbare Gewalt-
10 mensch! – Jetzt gehen Sie so zu Ihrer Braut und erzählen Sie ihr, was ich für eine Seele von einem Mädchen bin – keine Spur eifersüchtig!

SCHÖN *(schluchzend).* Das Kind! Das schuldlose Kind!

LULU. Wie kann der eingefleischte Teufel plötzlich so weich
15 werden. – – Jetzt gehen Sie aber bitte. Jetzt sind Sie nichts mehr für mich.

SCHÖN. Ich kann nicht zu ihr.

LULU. Hinaus mit Ihnen! Kommen Sie zu mir zurück, wenn Sie wieder zu Kräften gelangt sind.

20 SCHÖN. Sag' mir um Gottes willen, was ich tun soll.

LULU *(erhebt sich; ihr Mantel bleibt auf dem Sessel. Auf dem Mittel-tisch die Kostüme beiseite schiebend).* Hier ist Briefpapier . . .

SCHÖN. Ich kann nicht schreiben . . .

LULU *(aufrecht hinter ihm stehend, auf die Lehne seines Sessels
25 gestützt).* Schreiben Sie! – Sehr geehrtes Fräulein . . .

SCHÖN *(zögernd).* Ich nenne sie Adelheid . . .

LULU *(mit Nachdruck).* Sehr geehrtes Fräulein . . .

SCHÖN *(schreibend).* – Mein Todesurteil!

LULU. Nehmen Sie Ihr Wort zurück. Ich kann es mit meinem
30 Gewissen – *(da Schön die Feder absetzt und ihr einen flehendli-chen Blick zuwirft.)* Schreiben Sie Gewissen! – nicht verein-baren, Sie an mein unseliges Los zu fesseln . . .

SCHÖN *(schreibend).* Du hast recht. – Du hast recht.

LULU. Ich gebe Ihnen mein Wort, daß ich Ihrer Liebe – *(da sich
35 Schön wieder zurückwendet.)* Schreiben Sie Liebe! – unwür-dig bin. Diese Zeilen sind Ihnen der Beweis. Seit drei

Jahren versuche ich mich loszureißen; ich habe die Kraft nicht. Ich schreibe Ihnen an der Seite der Frau, die mich beherrscht. – Vergessen Sie mich. – Doktor Ludwig Schön.

SCHÖN *(aufächzend)*. O Gott!

LULU *(halb erschrocken)*. Ja kein »O Gott«! – *(Mit Nachdruck.)* 5 Doktor Ludwig Schön. – Postskriptum: Versuchen Sie nicht, mich zu retten.

SCHÖN *(nachdem er zu Ende geschrieben, in sich zusammenbrechend)*. Jetzt – kommt die – Hinrichtung . . .

Vierter Aufzug

*Prachtvoller Saal in deutscher Renaissance mit schwerem Plafond in
geschnitztem Eichenholz. Die Wände bis zur halben Höhe in dunklen
Holzskulpturen. Darüber an beiden Seiten verblaßte Gobelins. Nach*
5 *hinten oben ist der Saal durch eine verhängte Galerie abgeschlossen,
von der links eine monumentale Treppe bis zur halben Tiefe der
Bühne herabführt. In der Mitte unter der Galerie die Eingangstür mit
gewundenen Säulen und Frontispiz. An der rechten Seitenwand ein
geräumiger hoher Kamin. Weiter vorn ein Balkonfenster mit geschlos-*
10 *senen schweren Gardinen. An der linken Seitenwand vor dem Trep-
penfuße eine geschlossene Portiere in Genueser Samt.
Vor dem Kamin steht als Schirm eine chinesische Klappwand. Vor dem
Fußpfeiler des freien Treppengeländers auf einer dekorativen Staffelei
Lulus Bild als Pierrot in antiquisiertem Goldrahmen. Links vorn eine*
15 *breite Ottomane, rechts davor ein Fauteuil. In der Mitte des Saales ein
vierkantiger Tisch mit schwerer Decke, um den drei hochlehnige Pol-
stersessel stehen. Auf dem Tisch steht ein weißes Bukett.*

Erster Auftritt

SCHÖN. LULU. GRÄFIN GESCHWITZ.

20 GESCHWITZ *(auf der Ottomane, in pelzbesetzter Husaren-Taille,
hoher Stehkragen, riesige Manschettenknöpfe, Schleier vor dem
Gesicht, die Hände krampfhaft im Muff; zu Lulu).* Sie glauben
nicht, wie ich mich darauf freue, Sie auf unserem Künstle-
rinnenball zu sehen.

25 SCHÖN *(links vorn).* Sollte denn für unsereinen gar keine Mög-
lichkeit bestehen, sich einzuschmuggeln?

GESCHWITZ. Es wäre Hochverrat, wenn jemand von uns einer
solchen Intrige Vorschub leistete.

SCHÖN *(geht hinter der Ottomane durch zum Mitteltisch).* Die
30 prachtvollen Blumen.

LULU *(im Fauteuil, in großblumigem Morgenkleid, das Haar in
schlichtem Knoten, in goldener Spange).* Die hat mir Fräulein
von Geschwitz gebracht.

GESCHWITZ. O bitte. – Sie werden sich doch jedenfalls als
35 Herr kostümieren?

LULU. Glauben Sie denn, daß mich das kleidet?

GESCHWITZ *(auf das Bild deutend).* Hier sind Sie wie ein Märchen.

LULU. Mein Mann mag es nicht.

GESCHWITZ. Ist es von einem hiesigen?   5

LULU. Sie werden ihn kaum gekannt haben.

GESCHWITZ. Er lebt nicht mehr?

SCHÖN *(rechts vorn, mit tiefer Stimme).* Er hatte genug.

LULU. Du bist verstimmt.

SCHÖN *(beherrscht sich).*   10

GESCHWITZ *(sich erhebend).* Ich muß gehen, Frau Doktor. Ich
  kann nicht länger bleiben. Wir haben heute abend Akt-
  zeichnen, und ich habe noch so viel für den Ball vorzube-
  reiten. – *(Grüßend.)* Herr Doktor.

  (Von Lulu geleitet, durch die Mitte ab.)   15

Zweiter Auftritt

SCHÖN *(allein, sich umsehend).* Der reine Augiasstall. Das mein
  Lebensabend. Man soll mir einen Winkel zeigen, der noch
  rein ist. Die Pest im Haus. Der ärmste Tagelöhner hat sein
  sauberes Nest. Dreißig Jahre Arbeit, und das mein Fami-   20
  lienkreis, der Kreis der Meinen . . . *(sich umsehend.)* Gott
  weiß, wer mich jetzt wieder belauscht! *(Zieht einen Revolver
  aus der Brusttasche.)* Man ist ja seines Lebens nicht sicher! *(Er
  geht, den gespannten Revolver in der Rechten haltend, nach rechts
  und spricht an die geschlossene Fenstergardine hin.)* Das mein   25
  Familienkreis! Der Kerl hat noch Mut! – Soll ich mich denn
  nicht lieber selber vor den Kopf schießen? – Gegen Tod-
  feinde kämpft man, aber der . . . *(er schlägt die Gardine in die
  Höhe; da er niemand dahinter versteckt findet.)* Der Schmutz –
  der Schmutz . . . *(er schüttelt den Kopf und geht nach links hin- 30
  über)* der Irrsinn hat sich meiner Vernunft schon bemächtigt, oder – Ausnahmen bestätigen die Regel! *(Er steckt, da er
  Lulu kommen hört, den Revolver ein.)*

Dritter Auftritt

LULU. SCHÖN. *Beide links vorn.*

LULU. Könntest du dich für heute nachmittag nicht frei machen?

5 SCHÖN. Was wollte diese Gräfin eigentlich?

LULU. Ich weiß nicht. Sie will mich malen.

SCHÖN. Das Unglück in Menschengestalt, das einem seine Aufwartung macht.

LULU. Könntest du dich denn nicht frei machen? Ich würde so
10 gerne mit dir durch die Anlagen fahren.

SCHÖN. Gerade der Tag, an dem ich auf der Börse sein muß. Du weißt, daß ich heute nicht frei bin. Meine ganze Habe treibt auf den Wellen.

LULU. Lieber wollte ich schon beerdigt sein, als mir mein
15 ganzes Leben so durch meine Habe verbittern lassen.

SCHÖN. Wem das Leben leicht wird, dem fällt das Sterben nicht schwer.

LULU. Als Kind hatte ich auch immer die entsetzlichste Angst vor dem Tod.

20 SCHÖN. Deswegen habe ich dich ja geheiratet.

LULU *(an seinem Hals)*. Du bist schlecht gelaunt. Du machst dir zu viel Sorgen. Seit Wochen und Monaten habe ich nichts mehr von dir.

SCHÖN *(ihr Haar streichelnd)*. Dein Frohsinn sollte meine alten
25 Tage erheitern.

LULU. Du hast mich ja gar nicht geheiratet.

SCHÖN. Wen hätte ich denn sonst geheiratet?

LULU. Ich habe dich geheiratet!

SCHÖN. Was ändert denn das daran?

30 LULU. Ich fürchtete immer, es werde vieles ändern.

SCHÖN. Es hat auch viel unter die Füße gestampft.

LULU. Nur gottlob eines nicht!

SCHÖN. Darauf wäre ich begierig.

LULU. Deine Liebe zu mir.

35 SCHÖN *(zuckt mit dem Gesicht, winkt ihr, voranzugehen. Beide nach links vorn ab)*.

Vierter Auftritt

GRÄFIN GESCHWITZ *(öffnet vorsichtig die Mitteltür, wagt sich nach vorn und lauscht; schrickt zusammen, da Stimmen auf der Galerie laut werden).* O Gott, da ist jemand . . . *(Versteckt sich hinter dem Kaminschirm.)*   5

Fünfter Auftritt

SCHIGOLCH. RODRIGO. HUGENBERG.

SCHIGOLCH *(tritt über der Treppe aus den Gardinen, wendet sich zurück).* Der Junge hat sein Herz wohl im Café »Nacht-licht« zurückgelassen?!   10

RODRIGO *(zwischen den Gardinen).* Er ist noch zu klein für die große Welt und kann noch nicht so weit zu Fuß gehen. *(Verschwindet.)*

SCHIGOLCH *(kommt die Treppe herunter).* Gott sei Dank, daß wir endlich wieder zu Hause sind! Welcher Stinkpeter 15 wohl wieder die Treppe gewichst hat! Wenn ich mir meine Knochen vor der Heimrufung noch mal in Gips gießen lassen muß, dann kann sie mich zwischen den Palmen hier ihren Relationen als mediceische Venus vorstellen. Nichts als Klippen. Nichts als Fallstricke.   20

RODRIGO *(kommt, Hugenberg auf den Armen tragend, die Treppe herunter).* Das hat einen königlichen Polizeidirektor zum Vater und nicht soviel Courage im Leib wie der abgerissen-ste Landstreicher!

HUGENBERG. Wenn es auf nichts als auf Tod und Leben ginge, 25 dann solltet ihr mich kennen lernen!

RODRIGO. Das Brüderchen wiegt samt seinem Liebeskummer nicht mehr als sechzig Kilo. Darauf will ich mich jede Mi-nute hängen lassen.

SCHIGOLCH. Wirf ihn an den Plafond hinauf und fang ihn mit 30 den Füßen auf. Das peitscht ihm sein junges Blut gleich von vornherein in die richtige Wallung.

HUGENBERG *(mit den Beinen strampelnd)*. O je, o je, ich werde von der Schule gejagt!

RODRIGO *(ihn am Treppenfuß niedersetzend)*. Du bist noch auf gar keiner vernünftigen Schule gewesen!

5 SCHIGOLCH. Hier hat sich schon mancher die ersten Sporen verdient. Nur ja keine Schüchternheit! Zuerst werde ich euch einen Tropfen vorsetzen, wie er für Geld nirgends zu haben ist. *(Er öffnet ein Schränkchen unter der Treppe.)*

HUGENBERG. Wenn sie jetzt aber nicht unverzüglich ange-
10 tanzt kommt, dann verhaue ich euch beide, daß ihr euch noch im Jenseits den Buckel reibt.

RODRIGO *(hat sich rechts an den Tisch gesetzt)*. Den stärksten Mann der Welt will das Brüderchen verhaun! *(Zu Hugenberg.)* Laß dir von Mutterchen erst lange Hosen an-
15 ziehen.

HUGENBERG *(sich links an den Tisch setzend)*. Ich wünschte lieber, du borgtest mir deinen Schnurrbart.

RODRIGO. Willst du vielleicht, daß sie dich gleich zur Türe hinauswirft?

20 HUGENBERG. Zum Henker noch mal, wenn ich nur schon wüßte, was ich ihr sagen soll!

RODRIGO. Das weiß sie schon selber am besten.

SCHIGOLCH *(setzt zwei Flaschen und drei Gläser auf den Tisch)*. Die eine habe ich gestern schon angebrochen. *(Er füllt die*
25 *Gläser.)*

RODRIGO *(Hugenbergs Glas schützend)*. Gib ihm nicht zu viel, sonst müssen wir beide es ausbaden.

SCHIGOLCH *(sich mit beiden Händen auf die Tischplatte stützend)*. Rauchen die Herren?

30 HUGENBERG *(sein Zigarrenetui öffnend)*. Da sind Habanna-Importen!

RODRIGO *(sich bedienend)*. Von Papa Polizeidirektor?

SCHIGOLCH *(sich setzend)*. Ich habe alles im Hause. Braucht nur zu befehlen.

35 HUGENBERG. Ich habe ihr gestern ein Gedicht gemacht.

RODRIGO. Was hast du ihr gemacht?

SCHIGOLCH. Was hat er ihr gemacht?

HUGENBERG. Ein Gedicht.

RODRIGO *(zu Schigolch)*. Ein Gedicht.

SCHIGOLCH. Einen Taler hat er mir versprochen, wenn ich
   auskundschafte, wo er mit ihr allein zusammentreffen   5
   kann.

HUGENBERG. Wer wohnt denn eigentlich hier?

RODRIGO. Hier wohnen wir!

SCHIGOLCH. Jour fix – jeden Börsentag! – Zum Wohl!
   (Sie stoßen an.)   10

HUGENBERG. – Soll ich es ihr vielleicht zuerst vorlesen?

SCHIGOLCH *(zu Rodrigo)*. Was meint er?

RODRIGO. Sein Gedicht. Er will sie gerne zuerst ein wenig auf
   die Folter spannen.

SCHIGOLCH *(Hugenberg fixierend)*. Die Augen! Die Augen!   15

RODRIGO. Die Augen, ja! Die haben sie seit acht Tagen um
   ihren Schlaf gebracht.

SCHIGOLCH *(zu Rodrigo)*. Du kannst dich einpökeln lassen.

RODRIGO. Wir beide können uns einpökeln lassen! Zum
   Wohl, Gevatter Tod.   20

SCHIGOLCH *(anstoßend)*. Zum Wohl, Springfritze! Wenn es
   später noch besser kommt, dann bin ich jeden Augenblick
   zum Aufbruch bereit; aber . . . aber . . .

Sechster Auftritt

LULU. DIE VORIGEN. *Später* FERDINAND.   25

LULU *(von links, in eleganter Pariser Balltoilette, weit dekolletiert,
   mit Blumen vor der Brust und im Haar)*. Aber Kinder, Kinder,
   ich erwarte Besuch!

SCHIGOLCH. Aber das kann ich euch sagen, die müssen es sich
   da drüben was kosten lassen!   30

HUGENBERG *(hat sich erhoben)*.

LULU *(sich auf die Armlehne seines Sessels setzend)*. Sie sind in eine
   nette Gesellschaft geraten. Ich erwarte Besuch, Kinder.

SCHIGOLCH. Da muß ich mir wohl auch was vorstecken. *(Sucht in dem Bukett, das auf dem Tische steht.)*

LULU. Sehe ich gut aus?

SCHIGOLCH. Was sind das, was du da vorhast?

5 LULU. Orchideen. *(Sich mit der Brust über Hugenberg neigend.)* Riechen Sie.

RODRIGO. Sie erwarten wohl den Prinzen Escerny?

LULU *(schüttelt den Kopf)*. Gott bewahre!

RODRIGO. Also wieder jemand anders!

10 LULU. Der Prinz ist verreist.

RODRIGO. Sein Königreich auf Auktion bringen?

LULU. Er kundschaftet eine frische Völkerschaft in der Gegend von Afrika aus. *(Erhebt sich, eilt die Treppe hinauf und tritt in die Galerie ein.)*

15 RODRIGO *(zu Schigolch)*. – Er habe sie nämlich ursprünglich heiraten wollen.

SCHIGOLCH *(sich eine Lilie vorsteckend)*. Ich habe sie ursprünglich auch heiraten wollen.

RODRIGO. Du hast sie ursprünglich heiraten wollen?

20 SCHIGOLCH. Hast du sie nicht auch ursprünglich heiraten wollen?

RODRIGO. Jawohl habe ich sie ursprünglich heiraten wollen!

SCHIGOLCH. Wer hat sie nicht ursprünglich heiraten wollen!!

RODRIGO. – So gut hätte ich's nie gekriegt!

25 SCHIGOLCH. Sie hat es keinen bereuen lassen, daß er sie nicht geheiratet hat.

RODRIGO. – Sie ist also nicht dein Kind?

SCHIGOLCH. Fällt ihr nicht ein.

HUGENBERG. Wie heißt denn ihr Vater?

30 SCHIGOLCH. Sie hat mit mir renommiert!

HUGENBERG. Wie heißt denn ihr Vater?

SCHIGOLCH. Was meint er?

RODRIGO. Wie ihr Vater heißt.

SCHIGOLCH. Sie hat nie einen gehabt.

35 LULU *(kommt von der Galerie und setzt sich wieder zu Hugenberg auf die Armlehne)*. Was habe ich nie gehabt?

ALLE DREI. Einen Vater.

LULU. Ja gewiß, ich bin ein Wunderkind. *(Zu Hugenberg.)* Wie
sind Sie denn mit Ihrem Vater zufrieden?

RODRIGO. Er raucht wenigstens eine anständige Zigarre, der
Herr Polizeidirektor.   5

SCHIGOLCH. Hast oben zugeschlossen?

LULU. Da ist der Schlüssel.

SCHIGOLCH. Hättest ihn lieber stecken lassen.

LULU. Warum denn?

SCHIGOLCH. Damit man von außen nicht aufschließen kann.   10

RODRIGO. Ist er denn nicht auf der Börse?

LULU. O doch, aber er leidet an Verfolgungswahn.

RODRIGO. Ich nehme ihn auf die Füße und jupp – daß er oben
an der Decke kleben bleibt.

LULU. Sie jagt er mit einem Viertelsseitenblick durch ein   15
Mausloch.

RODRIGO. Was jagt er? Wen jagt er? *(Seinen Arm entblößend.)*
Sehen Sie sich bitte den Bizeps an.

LULU. Zeigen Sie. *(Geht nach rechts.)*

RODRIGO *(sich auf den Arm schlagend).* Granit. – Schmiedeeisen.   20

LULU *(befühlt abwechselnd Rodrigos Oberarm und ihren eigenen).*
Wenn Sie nur nicht so lange Ohren hätten . . .

FERDINAND *(durch die Mitte eintretend).* Herr Doktor Schön.

RODRIGO *(aufspringend).* Der Lumpenkerl. *(Will hinter den
Kaminschirm, fährt zurück.)* Gott behüte einen! *(Versteckt sich*   25
rechts vorn hinter den Gardinen.)

SCHIGOLCH. Gib mir den Schlüssel her! *(Nimmt Lulu den
Schlüssel ab und schleppt sich die Treppe zur Galerie hinauf.)*

HUGENBERG *(ist vom Sessel unter den Tisch geglitten).*

LULU. Ich lasse bitten.   30

FERDINAND *(ab).*

HUGENBERG *(lauscht vorn unter dem Saum der Tischdecke vor, für
sich).* Er bleibt hoffentlich nicht – dann sind wir allein . . .

LULU *(berührt ihn mit der Fußspitze).*

HUGENBERG *(verschwindet).*   35

Siebenter Auftritt

ALWA. SCHÖN. DIE VORIGEN.

FERDINAND *(läßt Alwa eintreten. Ab).*

ALWA *(in Soireetoilette).* Die Matinee wird, wie ich mir denke,
5 bei brennenden Lampen stattfinden. Ich habe . . . *(Schigolch
bemerkend, der sich mühsam die Treppe hinaufschleppt.)* Was ist
denn das?

LULU. Ein alter Freund deines Vaters.

ALWA. Mir völlig unbekannt.

10 LULU. Sie haben den Feldzug zusammen mitgemacht. Es geht
ihm entsetzlich . . .

ALWA. Ist denn mein Vater hier?

LULU. Er hat ein Glas mit ihm getrunken. Er mußte auf die
Börse. – Wir dejeunieren aber doch vorher?

15 ALWA. Wann geht es dann an?

LULU. Nach zwei. *(Da Alwa Schigolch mit dem Blick folgt.)* Wie
findest du mich . . . ?

SCHIGOLCH *(über die Galerie ab).*

ALWA. Sollte ich dir das nicht lieber verschweigen?

20 LULU. Ich meine ja nur die Toilette.

ALWA. Deine Schneiderin kennt dich offenbar besser als ich –
mir erlauben darf, dich zu kennen.

LULU. Als ich mich im Spiegel sah, hätte ich ein Mann sein
wollen . . . *(sich unterbrechend)* mein Mann! –

25 ALWA. Du scheinst deinen Mann um das Glück zu beneiden,
das du ihm bietest.

*(Lulu links, Alwa rechts vom Mitteltisch. Er betrachtet sie mit
scheuem Wohlgefallen.)*

FERDINAND *(durch die Mitte mit Service, deckt den Tisch und legt
30 zwei Kuverts auf; Flasche Pommery, Hors d'Œuvres).*

ALWA. Haben Sie Zahnschmerzen?

LULU *(zu Alwa hinüber).* Nicht.

FERDINAND. Herr Doktor . . . ?

ALWA. Er scheint mir heute so weinerlich.

FERDINAND *(durch die Zähne).* Man ist auch nur ein Mensch. – –
(Ab. Beide setzen sich zu Tisch.)

LULU. – Was ich immer am höchsten an dir schätzte, ist deine
Charakterfestigkeit. Du bist deiner so vollkommen sicher!
Wenn du auch fürchten mußtest, dich deshalb mit deinem   5
Vater zu überwerfen, du bist trotzdem immer wie ein Bru-
der für mich eingetreten.

ALWA. Lassen wir das. Es ist nun einmal mein Los . . . *(Er will
vorn die Tischdecke heben.)*

LULU *(rasch).* Das war ich.   10

ALWA. Nicht möglich! – Es ist nun einmal mein Los, bei den
leichtsinnigsten Gedanken immer das allerbeste zu er-
zielen.

LULU. Du redest dir etwas ein, wenn du dich vor dir selber
schlecht machst.   15

ALWA. Warum schmeichelst du mir so? – Es ist wahr, es lebt
vielleicht kein so schlechter Mensch wie ich – der so viel
Gutes zuwege gebracht hätte.

LULU. Auf jeden Fall bist du der einzige Mann auf dieser
Welt, der mich beschützt hat, ohne mich vor mir selbst zu   20
erniedrigen!

ALWA. Hältst du das für so leicht . . .?

Achter Auftritt

SCHÖN. DIE VORIGEN.

SCHÖN *(erscheint auf der Galerie zwischen den beiden mittleren Säu-*   25
len, indem er vorsichtig den Vorhang teilt. Über die Bühne weg-
sprechend). Mein eigener Sohn!

ALWA. . . . Mit deinen Gottesgaben macht man seine Umge-
bung zu Verbrechern, ohne sich's träumen zu lassen. – Ich
bin auch nur Fleisch und Blut, und wenn wir nicht wie   30
Geschwister nebeneinander aufgewachsen wären . . .

LULU. Deshalb gebe ich mich auch nur dir allein ganz ohne
Rückhalt. Von dir habe ich nichts zu fürchten.

ALWA. Ich versichere dir, es gibt Augenblicke, wo man
gewärtig ist, sein ganzes Innere einstürzen zu sehen. – Je
mehr Selbstüberwindung ein Mann sich aufbürdet, um so
leichter bricht er zusammen. Darüber hilft nichts hinweg
5 als . . . *(er will unter den Tisch sehen.)*
LULU *(rasch)*. Was suchst du denn?!
ALWA. Ich beschwöre dich, laß mich mein Glaubensbekennt-
nis für mich behalten! Als unantastbares Heiligtum warst
du mir mehr, als du in deinem Leben mit all deinen Gaben
10 irgend sonst jemandem sein konntest!
LULU. Wie denkst du darin doch so ganz anders als dein
Vater!
FERDINAND *(kommt durch die Mitte, wechselt die Teller und serviert
Brathähnchen mit Salat)*.
15 ALWA *(zu Ferdinand)*. Sind Sie krank?
LULU *(zu Alwa)*. Laß ihn doch!
ALWA. Er zittert wie im Fieber.
FERDINAND. Ich bin das Servieren noch nicht so gewohnt.
ALWA. Sie müssen sich was verschreiben lassen.
20 FERDINAND *(durch die Zähne)*. Ich kutschiere gewöhnlich. – –
(Ab.)
SCHÖN *(auf der Galerie, über die Bühne wegsprechend)*. Der also
auch. *(Nimmt hinter der Brüstung Platz, sich nach Erfordernis mit
dem Vorhang deckend.)*
25 LULU. Was sind das für Augenblicke, von denen du sprachst,
wo man gewärtig ist, sein ganzes Innere zusammenstürzen
zu sehen?
ALWA. Ich w o l l t e nicht davon sprechen. – Ich möchte nicht
gern über einem Glas Champagner verscherzen, was mir
30 während zehn Jahren mein höchstes Lebensglück gewesen.
LULU. Ich habe dir weh getan. Ich will nicht wieder davon
anfangen.
ALWA. Versprichst du mir das für immer?
35 LULU. Meine Hand darauf. *(Reicht ihm ihre Hand über den
Tisch.)*

ALWA *(ergreift sie zögernd, preßt sie in der seinigen, drückt sie lang
   und innig an seine Lippen).*
LULU. Was tust du . . .
RODRIGO *(steckt rechts den Kopf aus den Gardinen).*
LULU *(wirft ihm über Alwa hinweg einen wütenden Blick zu).*   5
RODRIGO *(zieht sich zurück).*
SCHÖN *(auf der Galerie, über die Bühne wegsprechend).* Und da ist
   noch einer!
ALWA *(ihre Hand haltend).* Eine Seele – die sich im Jenseits den
   Schlaf aus den Augen reibt . . . O diese Hand . . .   10
LULU *(harmlos).* Was findest du daran . . .
ALWA. Einen Arm . . .
LULU. Was findest du daran . . .
ALWA. Einen Körper . . .
LULU *(unschuldig).* Was findest du daran . . .   15
ALWA *(erregt).* Mignon!
LULU *(völlig verständnislos).* Was findest du daran . . .
ALWA. *(leidenschaftlich).* Mignon! Mignon!
LULU *(wirft sich auf die Ottomane).* Sieh mich nicht so an – um
   Gottes willen! Laß uns lieber gehen, ehe es zu spät ist. Du   20
   bist ein verworfener Mensch!
ALWA. Ich sagte dir ja, ich bin der niederträchtigste
   Schurke . . .
LULU. Das sehe ich!!
ALWA. Ich habe kein Ehrgefühl – keinen Stolz . . .   25
LULU. Du hältst mich für deinesgleichen!
ALWA. Du? – du stehst so himmelhoch über mir wie – wie die
   Sonne über dem Abgrund . . . *(Kniend.)* Richte mich zu-
   grunde! – Ich bitte dich, mach' ein Ende mit mir! – Mach'
   ein Ende mit mir!   30
LULU. Liebst du mich denn?
ALWA. Ich bezahle dich mit allem, was mein war!
LULU. Liebst du mich?!
ALWA. Liebst du mich – Mignon . . . ?
LULU. Ich? – Keine Seele.   35
ALWA. Ich l i e b e dich. *(Birgt seinen Kopf in ihrem Schoß.)*

LULU *(beide Hände in seinen Locken)*. – Ich habe deine Mutter vergiftet . . .

RODRIGO *(steckt rechts den Kopf aus den Gardinen, sieht Schön auf der Galerie sitzen und macht ihn durch Zeichen auf Lulu und Alwa*
5 *aufmerksam)*.

SCHÖN *(richtet seinen Revolver gegen Rodrigo)*.

RODRIGO *(bedeutet ihn, den Revolver auf Alwa zu richten)*.

SCHÖN *(spannt den Revolver und zielt auf Rodrigo)*.

RODRIGO *(fährt hinter die Gardinen zurück)*.

10 LULU *(sieht Rodrigo zurückfahren, sieht Schön auf der Galerie sitzen, erhebt sich)*. Sein Vater!

SCHÖN *(erhebt sich, läßt den Vorhang vor sich nieder)*.

ALWA *(bleibt regungslos auf den Knien)*.

(Pause.)

15 SCHÖN *(eine Zeitung in der Hand, nimmt Alwa bei der Schulter)*. Alwa!

ALWA *(erhebt sich wie schlaftrunken)*.

SCHÖN. In Paris ist Revolution ausgebrochen.

ALWA. Nach Paris . . . laß mich nach Paris . . .

20 SCHÖN. Auf der Redaktion rennen sie sich den Kopf gegen die Wand. Keiner weiß, was er schreiben soll . . .
(Entfaltet das Zeitungsblatt, geleitet Alwa durch die Mitte hinaus.)

RODRIGO *(stürzt rechts aus den Gardinen, will die Treppe hinan)*.

25 LULU *(vertritt ihm den Weg)*. Sie können hier nicht hinaus.

RODRIGO. Lassen Sie mich durch!

LULU. Sie rennen ihm in die Arme.

RODRIGO. Er jagt mir sein Pistol durch den Kopf.

LULU. Er kommt.

30 RODRIGO *(zurücktaumelnd)*. Himmel, Tod und Wolkenbruch! *(Hebt die Tischdecke.)*

HUGENBERG. Kein Platz!

RODRIGO. Verdammt und zugenäht! *(Sieht sich um, verbirgt sich links hinter der Portiere.)*

35 SCHÖN *(durch die Mitte, verschließt die Tür, geht, den Revolver in

*der Hand, auf das Fenster rechts vorn zu, schlägt die Gardine in die
Höhe).* – Wo ist denn d e r hin?

LULU *(auf den untersten Treppenstufen).* Hinaus.

SCHÖN. Über den Balkon hinunter??

LULU. Er ist Kunstturner. 5

SCHÖN. Das war nicht vorauszusehen. – *(Sich gegen Lulu wendend.)* Du Kreatur, die mich durch den Straßenkot zum
Martertode schleift!

LULU. Warum hast du mich nicht besser erzogen?

SCHÖN. Du Würgengel! Du unabwendbares Verhängnis! 10
Mörder werden oder im Schmutz ertrinken; mich einschif-
fen wie ein entlassener Sträfling, oder mich über dem Mo-
rast aufhängen. Du Freude meines Alters! Du Henker-
strick!

LULU *(kaltblütig).* Schweig doch und bring mich um! 15

SCHÖN. Ich habe dir Hab und Gut verschrieben und nichts
gefordert, als die Achtung, die meinem Haus jeder Dienst-
bote zollt. Dein Kredit ist erschöpft!

LULU. Ich kann noch auf Jahre für meine Rechnung einstehen. *(Von der Treppe nach vorn kommend.)* Wie gefällt dir mein 20
neues Kleid?

SCHÖN. Weg mit dir, sonst schlägt's mir morgen über den
Kopf, und mein Sohn schwimmt in seinem Blute. Du haf-
test mir als unheilbare Seuche an, an der ich bis in mein
Grab meine Lebenszüge verächzen soll. Ich will mich 25
heilen. Begreifst du mich? *(Ihr den Revolver aufdrängend.)*
Das ist dein Spezifikum. – Brich nicht in die Knie! – Du
sollst es dir selbst applizieren. Du oder ich, wir messen
uns.

LULU *(hat sich, da die Kräfte sie zu verlassen drohen, auf den Diwan* 30
niedergelassen; den Revolver hin und her drehend). Das geht ja
nicht los.

SCHÖN. Weißt du noch, wie ich dich der Korrektionspolizei
aus den Krallen riß?

LULU. Du hast viel Zutrauen . . . 35

SCHÖN. Weil ich eine Dirne nicht fürchte? Soll ich dir die

Hand führen? Hast du selbst kein Erbarmen mit dir? *(Da Lulu den Revolver gegen ihn richtet.)* Keinen blinden Lärm!

LULU *(knallt einen Schuß gegen den Plafond).*

RODRIGO *(springt aus der Portiere, die Treppe hinauf, über die Galerie ab).*

SCHÖN. Was war das . . .?

LULU *(harmlos).* Nichts.

SCHÖN *(die Portiere hebend).* Was kam da herausgeflattert?

LULU. Du leidest an Verfolgungswahn.

SCHÖN. – Hältst du noch mehr Männer hier versteckt? *(Ihr den Revolver entreißend.)* Ist sonst noch ein Mann bei dir zu Besuch? *(Nach rechts gehend.)* Ich will deine Männer regalieren! *(Schlägt die Fenstergardinen in die Höhe, wirft den Kaminschirm zurück, packt die Geschwitz am Kragen und schleppt sie nach vorn.)* Kommen Sie durch den Rauchfang herunter?

GESCHWITZ *(in Todesangst zu Lulu).* Retten Sie mich vor ihm.

SCHÖN *(sie schüttelnd).* Oder sind Sie auch Kunstturner?

GESCHWITZ *(wimmernd).* Sie tun mir weh.

SCHÖN *(sie schüttelnd).* Jetzt müssen Sie notwendig noch zum Diner bleiben. *(Schleppt sie nach links, stößt sie ins Nebenzimmer, verschließt die Tür hinter ihr.)* Wir wollen keine Ausrufer. *(Setzt sich neben Lulu, drängt ihr den Revolver auf.)* Es ist noch genug für dich drin. – Sieh mich an! Ich kann in meinem Haus meinem Kutscher nicht helfen, mir die Stirn zu verzieren. Sieh mich an! Ich bezahle meinen Kutscher. Sieh mich an! Vergönne ich meinem Kutscher was, wenn ich den infamen Stallgeruch nicht verschnupfen kann?

LULU. Laß anspannen. Bitte. Wir fahren in die Oper.

SCHÖN. Wir fahren zum Teufel! Jetzt kutschiere ich. *(Den Revolver in ihrer Hand von sich ab und auf Lulus Brust wendend.)* Glaubst du, man läßt sich mißhandeln, wie du mich mißhandelst, und besinnt sich zwischen einer Galeerenschande von Lebensabend und dem Verdienst, die Welt von d i r zu befreien? *(Hält sie am Arm nieder.)* Komm zu Ende. Es soll mir die glücklichste Erinnerung meines Lebens sein. Drück los!

LULU. – Du kannst dich scheiden lassen.

SCHÖN *(sich erhebend)*. Das war noch übrig. Damit morgen ein
Nächster seinen Zeitvertreib findet, wo ich von Abgrund
zu Abgrund geschaudert, den Selbstmord im Nacken und
d i c h vor mir. Das wagt sich dir über die Lippen? Was ich   5
von meinem Leben in dich hineingelebt, soll ich wilden
Tieren vorgeworfen sehen? Siehst du dein Bett mit dem
Schlachtopfer darauf? Der Junge hat Heimweh nach dir. –
Hast du dich scheiden lassen? Du hast ihn unter die Füße
getreten, ihm das Gehirn ausgeschlagen, sein Blut in Gold-   10
stücken aufgefangen. Ich mich scheiden lassen! Läßt man
sich scheiden, wenn die Menschen ineinander hineinge-
wachsen und der halbe Mensch mitgeht? *(Nach dem Revol-*
ver langend.) Gib her.

LULU. Erbarmen!   15

SCHÖN. Ich will dir die Mühe abnehmen.

LULU *(reißt sich von ihm los, den Revolver niederhaltend, in entschie-*
denem selbstbewußten Ton). – Wenn sich die Menschen um
meinetwillen umgebracht haben, so setzt das meinen Wert
nicht herab. – Du hast so gut gewußt, weswegen du mich   20
zur Frau nimmst, wie ich gewußt habe, weswegen ich dich
zum Mann nehme. – Du hattest deine besten Freunde mit
mir betrogen, du konntest nicht gut auch noch dich selber
mit mir betrügen. – Wenn du mir deinen Lebensabend zum
Opfer bringst, so hast du meine ganze Jugend dafür gehabt. 25
Du verstehst dich zehnmal besser als ich darauf, was höher
im Wert steht. Ich habe nie in der Welt etwas anderes
scheinen wollen, als wofür man mich genommen hat, und
man hat mich nie in der Welt für etwas anderes genommen,
als was ich bin. – Du willst mich dazu zwingen, mir eine   30
Kugel ins Herz zu jagen. Ich bin keine sechzehn Jahre
mehr; aber um mir eine Kugel ins Herz zu jagen, dafür bin
ich mir doch noch zu jung!

SCHÖN *(auf sie eindringend)*. Nieder, Mörderin! Nieder mit dir!
In die Knie, Mörderin! *(Er drängt sie bis vor die Treppe. Die*   35

Hand erhebend.) Nieder – und wage nicht wieder aufzu-
stehn!

LULU *(ist in die Knie gesunken).*

SCHÖN. Bete zu Gott, Mörderin, daß er dir Kraft gibt! Flche
5 zum Himmel, daß er dir die Kraft dazu verleiht!

HUGENBERG *(unter dem Tisch aufspringend, den Sessel beiseite stoßend).* Hilfe!

SCHÖN *(wendet sich gegen Hugenberg, Lulu den Rücken kehrend).*

LULU *(feuert fünf Schüsse gegen Schön und hört nicht auf, den Revol-*
10 *ver abzudrücken).*

SCHÖN *(vornüberstürzend, von Hugenberg aufgefangen, der ihn in
den Sessel niederläßt).* Und – da – ist – noch – einer ...

LULU *(auf Schön zustürzend).* Allbarmherziger ...

SCHÖN. Aus meinen Augen! – – – Alwa!

15 LULU *(auf den Knien).* Der einzige, den ich geliebt!

SCHÖN. Dirne! Mörderin! – Alwa! Alwa! – Wasser!

LULU. Wasser; er verdurstet. *(Füllt ein Glas mit Champagner und
setzt es Schön an die Lippen.)*

ALWA *(kommt über die Galerie, die Treppe herunter).* Mein Vater!
20 Um Gottes willen, mein Vater!

LULU. Ich habe ihn erschossen.

HUGENBERG. Sie ist unschuldig!

SCHÖN *(zu Alwa).* Du bist es. Es ist mißglückt.

ALWA *(will ihn aufheben).* Du mußt zu Bett. Komm.

25 SCHÖN. Faß mich nicht so an. – Ich verdorre ...

LULU *(kommt mit dem Champagnerkelch).*

SCHÖN *(zu Lulu).* Du bleibst dir gleich. *(Nachdem er getrunken,
zu Alwa.)* Laß sie nicht entkommen. – Du bist der Nächste ...

30 ALWA *(zu Hugenberg).* Helfen Sie mir, ihn aufs Bett bringen.

SCHÖN. Nein, nein, bitte, nein. Sekt, Mörderin ...

ALWA *(zu Hugenberg).* Fassen Sie mit an. *(Nach links deutend.)*
Ins Schlafzimmer.

(Beide richten Schön empor und führen ihn nach rechts. Lulu bleibt
35 *neben dem Tisch, das Glas in der Hand.)*

SCHÖN *(stöhnend).* O Gott, o Gott, o Gott ...

ALWA *(findet die Tür verschlossen, dreht den Schlüssel und öffnet).*
GRÄFIN GESCHWITZ *(tritt heraus).*
SCHÖN *(sich bei ihrem Anblick steif emporrichtend).* Der Teufel –
   (schlägt rücklings auf den Teppich).
LULU *(wirft sich neben ihn, nimmt seinen Kopf auf den Schoß, küßt   5
   ihn).* Er hat es überstanden. – *(Richtet sich auf, will die Treppe
   hinan.)*
ALWA. Nicht von der Stelle! –
GESCHWITZ *(zu Lulu).* Ich glaubte, du wärest es.
LULU *(sich vor Alwa niederwerfend).* Du kannst mich nicht dem   10
   Gericht ausliefern. Es ist m e i n Kopf, den man mir ab-
   schlägt. Ich habe ihn erschossen, weil er mich erschießen
   wollte. Ich habe keinen Menschen auf der Welt geliebt als
   i h n. Alwa, verlang, was du willst. Laß mich nicht der
   Gerechtigkeit in die Hände fallen. Es ist schade um mich!   15
   Ich bin noch jung. Ich will dir treu sein mein Leben lang.
   Ich will nur dir allein gehören. Sieh mich an, Alwa. –
   Mensch, sieh mich an! Sieh mich an!
   (Von außen wird an die Türe gepoltert.)
ALWA. Die Polizei. *(Geht, um zu öffnen.)*   20
HUGENBERG. Ich werde von der Schule gejagt.

Die Büchse der Pandora

Tragödie in drei Aufzügen
mit einem Prolog

Vorwort

An dem hier folgenden Drama habe ich neun Jahre, von 1892
bis 1901, gearbeitet. Vor jedem Neuerscheinen unterzog ich
es darauf immer wieder einer gründlichen Durcharbeitung,
bis es seine jetzige Form erhielt, die ihm endgültig belassen
5 werden soll. Es mögen hier die Worte folgen, die ich dem
Buch im Jahre 1906 mitgab, als es eben von einem richterli-
chen Vernichtungsurteil ereilt worden war.

Nachdem die Anklage das Drama als ein jeden sittlichen
10 und künstlerischen Wertes bares Machwerk bezeichnet hatte,
wurden von sämtlichen drei Instanzen, die ein Urteil über das
Stück zu fällen hatten, gerade seine sittlichen und künstlerischen Qualitäten anerkannt. Die Instanzen waren: das
Königliche Landgericht I in Berlin, das Reichsgericht in Leip-
15 zig und das Königliche Landgericht II in Berlin.

Das Landgericht I war auf Grund dieser Anerkennung zur
Freisprechung der Angeklagten und zur Freigabe des Buches
gelangt. Das Reichsgericht stellte sich auf den Standpunkt,
daß sittliche und künstlerische Qualitäten nicht ausreichten,
20 um einer Schrift den Charakter des Unzüchtigen zu nehmen,
und hob auf Grund dieser Anschauung das erste Urteil auf.
Das Landgericht II schloß sich der Auffassung des Reichsgerichtes an und verfügte, während es die Angeklagten frei-
sprach, die Vernichtung des Buches in seiner ehemaligen
25 Form, wobei es aber seinen sittlichen und künstlerischen
Qualitäten eine unvergleichlich sorgfältigere Würdigung zu-
teil werden ließ, als wie es bis dahin je in öffentlichen Besprechungen geschehen war.

Diese sittlichen und künstlerischen Qualitäten des Buches
30 zu erhalten und sie von allen Schlacken zu säubern, die bei der
ersten, immerhin nicht leichten Bewältigung des Stoffes
künstlerischer Übermut und Schaffensfreudigkeit mit unter-
laufen ließen, ist der Zweck dieser Ausgabe. Werte zu unter-
schlagen und verschwinden zu lassen, die von zwanzig deut-
35 schen Richtern, von ernsten gereiften Männern als vorhanden

anerkannt wurden, vermag ich nicht zu verantworten. Es
seien hier nur noch einige kurze, rein sachliche Bemerkungen
erlaubt.

Die tragische Hauptfigur dieses Stückes ist nicht Lulu, wie
von den Richtern irrtümlich angenommen wurde, sondern   5
die Gräfin Geschwitz. Lulu spielt, von einzelnen Intrigen
abgesehen, in allen drei Akten eine rein passive Rolle; die
Gräfin Geschwitz dagegen gibt im ersten Akt den Beweis
einer, ich darf getrost sagen, übermenschlichen Selbstaufop-
ferung. Im zweiten Akt wird sie durch den Gang der Hand-   10
lung zu dem Versuch gezwungen, das auf ihr lastende furchtbare Verhängnis der Unnatürlichkeit unter Aufbietung aller
seelischen Energie zu überwinden, worauf sie im dritten Akt,
nachdem sie die entsetzlichsten Seelenqualen mit stoischer
Fassung ertragen, als Verteidigerin ihrer Freundin den Opfer-   15
tod stirbt.

Das furchtbare Verhängnis der Unnatürlichkeit, das auf
diesem Menschenkind lastet, zum Gegenstand ernster dramatischer Gestaltung zu wählen, wurde in keinem der drei
über das Stück gefällten Urteile für unzulässig erklärt. Tat-   20
sächlich stehen ja auch in der alten griechischen Tragödie die
Hauptfiguren fast immer außerhalb der Natürlichkeit. Sie
sind aus Tantalus' Geschlecht; von den Göttern ward ihnen
ein eherner Reif um die Stirn geschmiedet. Das heißt: trotz
der gewaltigsten seelischen Evolutionen, die jedem, der   25
ihrem Kampfe beiwohnt, zum höchsten menschlichen Glück
verhelfen würden, gelingt es ihnen nicht, den Fluch, der sie
als ein unseliges Erbteil beherrscht, abzuschütteln, sondern
sie gehen, unbrauchbar für die menschliche Gemeinschaft,
unter den größten Qualen elend an ihrem Verhängnis   30
zugrunde. Abschreckender kann für das Empfinden des
Zuschauers die Unnatürlichkeit als solche nicht gebrandmarkt werden. Wenn der Zuschauer aus dieser Vorführung
auch noch ästhetischen Genuß und einwandfreien seelischen
Gewinn davonträgt, so erhebt das die Darstellung aus dem   35
Gebiete der Moral in das Gebiet der Kunst.

Trotzdem hätte mich der Fluch der Unnatürlichkeit allein
nicht dazu verlockt, ihn zum Gegenstand dramatischer Gestaltung zu wählen. Ich tat das vielmehr, weil ich dieses Verhängnis, wie es uns in unserer heutigen Kultur entgegentritt,
5 tragisch noch nicht behandelt fand. Mich beseelte der Trieb,
die gewaltige menschliche Tragik außergewöhnlich großer,
völlig fruchtloser Seelenkämpfe dem Geschick der Lächerlichkeit zu entreißen und sie der Teilnahme und der Barmher-
zigkeit aller nicht von ihr Betroffenen näher zu bringen. Als
10 eines der wirksamsten Mittel zur Erreichung dieses Zieles
schien es mir nötig, das niedrige Gespött und das gellende
Hohngelächter, das der ungebildete Mensch für diese Tragik
bereit hat, in einer möglichst ausdrucksvollen Form zu ver-
körpern. Zu diesem Zweck schuf ich die Figur des Kraftmen-
15 schen Rodrigo Quast. Rodrigo Quast ist der Gegenspieler
der Gräfin Geschwitz. Während der Arbeit war ich mir der
Aufgabe vollkommen bewußt, daß sich die seelischen Evolutionen, in die die Gräfin Geschwitz durch ihr Unglück
gepeitscht wird, in sittlicher Hinsicht um so höher erheben
20 mußten, je brutaler ich die Witze dieses Kraftmenschen
gestaltete. Ich war mir völlig klar, daß die Witze durch den
Ernst, mit dem ich das Geschick der Gräfin Geschwitz
behandelte, immer und immer wieder entkräftet und überflü-
gelt werden mußten, und daß zum Schluß der tragische Ernst
25 als bedingungslos anerkannter Sieger den Kampfplatz be-
haupten mußte, wenn das Werk seinen Zweck erfüllen sollte.

Daß es mir mit dem letzten Akt des Stückes gelungen ist,
diesen Eindruck hervorzurufen, haben sämtliche Aufführungen bestätigt. Aber auch die über das Drama in seiner ehema-
30 ligen Form gefällten Urteile würdigen diese Tatsache. Das
Urteil des Reichsgerichtes und mit ihm das des Königlichen
Landgerichts II in Berlin bestreiten nur, daß der beabsichtigte
Eindruck der Tragik auch im »normalen Leser« hervorgeru-
fen werde. Natürlich nicht unbedingt! Denn zu der großen
35 Masse »normaler Leser« gehört in erster Linie auch der ungebildete Mensch, der in dem Drama selber als Athlet auftritt

und gegen dessen gellendes Hohngelächter die Tendenz des Stückes gerichtet ist. Der durch die Satire Gegeißelte empfindet deren Wirkung aber natürlich nicht durch die Lektüre allein, sondern erst dann, wenn er zu seiner größten Überraschung sieht, wie gebildete Menschen das von ihm entworfene Charakterbild lächerlich und verächtlich finden. Übrigens reichen die Unflätigkeiten, die ich diesem Kraftmenschen in den Mund legte, nicht im entferntesten an diejenigen eines Falstaff, Mephisto oder Spiegelberg heran.

Als ich dieses Drama in seiner ehemaligen Form veröffentlichte, war ich in tiefster Seele von der Überzeugung durchdrungen, damit einer Forderung höchster menschlicher Sittlichkeit zu genügen. Ebenso klar war ich mir über die Tatsache, daß die Veröffentlichung eine Anklage wegen Vergehens gegen die Sittlichkeit oder wegen Verbreitung unzüchtiger Schriften zur Folge haben könnte. Daß die von mir erwartete Folge eintrat, ist mir so wenig ein Beweis gegen wie für die Richtigkeit meiner Überzeugung. Aber es lag von jeher im Wesen unserer geistigen Entwicklung, daß ein Mensch, der auf irgendeinem geistigen Gebiet einen entscheidenden Schritt vorwärts tut, wegen Verletzung dieses selben Gebietes vor den Richter gestellt wird. Ein Arzt, der im Vertrauen auf seine Forschung eine vorher noch nicht erprobte Exstirpation vornimmt, setzt sich dadurch von vornherein und mit vollem Bewußtsein der Gefahr aus, wegen Körperverletzung oder fahrlässiger Tötung angeklagt zu werden. Erfahrungsgemäß berühren sich ja auch alle diejenigen Gebiete in ihren äußersten Konsequenzen, die sich in ihren gewohnten Erscheinungsformen als stärkste Gegensätze gegenüberstehen. Heilmittel und Gift unterscheiden sich nur durch die Art ihrer Verwendung. Erhabenheit und Lächerlichkeit werden von der Mitwelt selten zuverlässig unterschieden. Das wahrhaft Erhabene wurde in seinen Anfängen fast immer als lächerlich empfunden, und wie manches Gebaren, das von sämtlichen Mitwirkenden als erhaben empfunden wurde, entpuppte sich im Handumdrehen als größte Lächerlichkeit. S u m m u m

jus und summa injuria sind Begriffe, die sich bis ans
Ende aller Zeiten decken werden.

Die Norm, die unsere Kultur für die in diesem Gedanken-
gang erwähnten Tatsachen seit zwei Jahrtausenden festgehal-
5 ten hat, und die ihre Geltung voraussichtlich in alle Ewigkeit
behalten wird, ist das Schicksal unseres Religionsstifters, der
vom Synedrium in Jerusalem wegen Gotteslästerung
zum Tode verurteilt wurde. Dabei ergibt sich aus der Darstellung der Evangelien, daß sich das Synedrium erst nach langem
10 Zögern und mit äußerstem Widerstreben des Falles annahm,
gezwungen durch eine Herausforderung, die ihm gar keine
Wahl mehr übrig ließ, nämlich durch das im Vorhof des
Allerheiligsten ausgesprochene Gleichnis von der Zerstörung
des Tempels und seinem nicht mehr als drei Tage in Anspruch
15 nehmenden Wiederaufbau. Ebenso ergibt sich aus den Evangelien, daß das Synedrium seines Richteramtes mit einer
Würde waltete, die von keinem Richter der Gegenwart über-
troffen werden kann. Trotzdem bleibt in solchen Fällen das
Verhängnis, gerichtet zu werden, immer ein milderes als das
20 Verhängnis, richten zu müssen.

Der letzte Grund, weshalb ich diesen als Norm bezeichne-
ten Fall angesichts der über mein Stück ausgesprochenen
Urteile erwähne, ist der Unterschied zwischen bürgerlicher
Moral, zu deren Schutz der Richter berufen ist, und mensch-
25 licher Moral, die sich jeder irdischen Gerichtsbarkeit ent-
zieht. In allen drei über das Drama gefällten Urteile wurde die
käufliche Liebe ohne weiteres als Unsittlichkeit und ihre Ausübung als Unzucht bezeichnet. Diese Bezeichnung ist vom
Standpunkt der bürgerlichen Moral aus vollkommen zutref-
30 fend.

Nun haben sich aber ehrwürdige Dichter aller Zeiten von
König Cudraka (»das irdene Wägelchen«) bis auf Goethe
(»der Gott und die Bajadere«) berufen gefühlt, die unglücklichen Opfer der käuflichen Liebe gegen die allgemeine Äch-
35 tung in Schutz zu nehmen. Und Jesus Christus sagt zu den
Geistlichen und Richtern seiner Zeit: »Wahrlich, ich sage

euch, die Steuereintreiber und die Huren werden eher in
das Reich Gottes kommen als ihr.« (Evangelium Matthäi,
Kap. 21, V. 31.) Von seinem Standpunkte aus kann Jesus
Christus gar nicht logischer, gar nicht folgerichtiger sprechen, denn er baut das Reich Gottes für die Mühseligen und   5
Beladenen, nicht für die Reichen, für die Kranken, nicht für
die Gesunden, für die Sünder, nicht für die Gerechten. Dieser
Ausspruch im Verein mit der verblüffenden Echtheit des
gegen den »Tempelschänder« gepflogenen Gerichtsverfah-
rens ist mir auch der schlagendste Beweis gegen die Behaup-   10
tung heutiger Bibelforschung, daß Jesus nie gelebt
habe und daß die Erzählungen der Evangelien nur eine
fromme Erdichtung späterer Kirchenältesten darstellen, denn
welcher Geistliche wagt es je, diesen Ausspruch auch nur auf
der Kanzel zu zitieren?   15

Aber, höre ich den Richter fragen, geht denn die Kultur
nicht jämmerlich daran zugrunde, daß die Mühseligen, die
Kranken und die Sünder in dieser Moral ihre Rechtfertigung
finden? – Auf diese Frage weiß ich Antworten vollauf, die
jede Besorgnis beschwichtigen; denn wenn die menschliche   20
Moral höher als die bürgerliche stehen will, dann muß sie
allerdings auch auf eine tiefere umfassendere Kenntnis vom
Wesen der Welt und des Menschen gegründet sein. Aber ich
dränge mich ohne ausdrückliche Aufforderung nicht zu der
Aufgabe, die Aussprüche unseres Religionsstifters vor dem   25
Richter zu verteidigen.

An Stelle des Personenverzeichnisses möge dem Drama der
Theaterzettel der schönen, mir unvergeßlichen Aufführung
vorausgehen, die Karl Kraus in Wien veranstaltete.

Karl Kraus empfange auch an dieser Stelle nochmals mei-   30
nen Dank dafür.

Trianon-Theater
(Nestrophof)
Wien, 29. Mai 1905

Einleitende Vorlesung von Karl Kraus.

Hierauf:

Die Büchse der Pandora

Tragödie in drei Aufzügen von Frank Wedekind.
Regie: Albert Heine.

Lulu	Tilly Newes
Alwa Schön, Schriftsteller	O. D. Potthof
Rodrigo Quast, Athlet	Alexander Rottmann
Schigolch	Albert Heine
Alfred Hugenberg, Zögling einer Korrektionsanstalt	Tony Schwanau
Die Gräfin Geschwitz	Adele Sandrock
Marquis Casti-Piani	Anton Edthofer
Bankier Puntschu	Gustav d'Olbert
Journalist Heilmann	Wilhelm Appelt
Magelone	Adele Nova
Kadidja di Santa Croce, ihre Tochter	Iduschka Orloff
Bianetta Gazil	Dolores Stadlon
Ludmilla Steinherz	Claire Sitty
Bob, Groom	Irma Karczewska
Ein Polizeikommissär	Egon Fridell
Herr Hunidei	Ludwig Ströb
Kungu Poti, kaiserlicher Prinz von Uahubee	Karl Kraus.
Dr. Hilti, Privatdozent	Arnold Korff
Jack	Frank Wedekind

Der erste Akt spielt in Deutschland, der zweite in Paris, der dritte in London.

———

Anfang präzise $1/_2$8 Uhr.

Prolog in der Buchhandlung

Personen

Der normale Leser
Der rührige Verleger
Der verschämte Autor
Der hohe Staatsanwalt

Der Prolog kann in entsprechenden Überkleidern und Kopfbedeckungen von den Darstellern des Rodrigo, des Casti-Piani, des Alwa und des Schigolch gesprochen werden. Rodrigo in hellem Sommerüberzieher und Lodenhütchen, Casti-Piani in Schlafrock und Samtkäppchen, Alwa in Havelock und Schlapphut, Schigolch in Talar und Barett.

Szenerie: Ein Zwischenvorhang, ein primitives Büchergestell.

Der normale Leser
(schwankt herein)

Ich möchte gern ein Buch bei Ihnen kaufen.
Was drin steht, ist mir gänzlich einerlei.
Der Mensch lebt, heißt es, nicht allein vom Saufen.　　5
Auch wünsch' ich dringend, daß es billig sei.
Die älteste Tochter will ich zum Gedenken
Der ersten Kommunion damit beschenken.

Der rührige Verleger

Da kann ich Ihnen warm ein Buch empfehlen,　　10
Bei dem das Herz des Menschen höher schlägt.
Heut lesen es schon fünf Millionen Seelen,
Und morgen wird's von neuem aufgelegt.
Für jeden bleibt's ein dauernder Gewinn,
Steht doch für niemand etwas Neues drin.　　15

Der verschämte Autor
(schleicht herein)

Ein Buch möcht' ich bei Ihnen drucken lassen;
Zehn Jahre meines Lebens schrieb ich dran.
Das Weltall hofft' ich brünstig zu umfassen,　　20
Und hab's kaum richtig mit dem Weib getan.
Was lernend ich dabei als wahr empfand,
Hab' ich in schlottrig schöne Form gebannt.

Der hohe Staatsanwalt
(stürmt herein)　　25

Ich muß ein Buch bei Ihnen konfiszieren,
Vor dem die Haare mir zu Berge stehn.
Erst sah den Kerl man alle Scham verlieren,
Nun läßt er öffentlich für Geld sich sehn.
Drum werden wir ihn nach dem Paragraphen　　30
Einhundertvierundachtzig streng bestrafen.

Der verschämte Autor
(lächelnd)

Mich strafen? Nein! Des Schaffens Götterfreuden
Raubt mir auch nicht die härt'ste Strafe mehr.
5   Wer sträubt sich jemals, für sein Kind zu leiden?
An solchem Glück läßt dein Beruf dich leer.
Mich kannst du foltern, würgen, schinden, henken,
Mein Werk wird das an keinem Worte kränken!

Der hohe Staatsanwalt

10 Dir schwör' ich's zu, daß du mit frechen Witzen
Nicht länger der Verdammnis Opfer wirbst.
Normale Leser muß ich davor schützen,
Daß du sie grinsend bis ins Mark verdirbst.
Zwei Jahr Gefängnis sind dein sicherer Lohn;
15 Für Ehrverlust sorgst du ja selber schon.

Der normale Leser

Jetzt möcht' ich stracks mein Buch bei Ihnen kaufen.
Ich finde dies Betragen unerhört.
Laß ich die eignen Kinder christlich taufen,
20 Damit mich Hunger umbringt, Durst verzehrt?
Wenn ihr die Zänkerei nicht bald beendet,
Dann wird das Geld auf Eierpunsch verwendet.

Der hohe Staatsanwalt
*(schließt ihn in die Arme, worauf der normale Leser
in Tränen ausbricht)*

25 Bejammernswürdiges Opfer! Abgetötet
In deinem Busen starb die heilige Scheu.
Ward diesem Wicht nur erst sein Maul verlötet,
Dann keimen Zucht und Frömmigkeit aufs neu.
30 Zwei Jahr Gefängnis! Ich behaupte dreist,
Daß er dann ewig keinen Witz mehr reißt.

Der verschämte Autor
Wie sollte mich wohl ein Gerichtshof schrecken!
Wer weiß, ob mir nicht gar sein Eifer nützt,
Die Schwächen meines Schauspiels aufzudecken,
So wahr, wie echte Kunst sich selbst beschützt.   5
Ich bin's gewiß: Man kann sich nicht entbrechen,
Von jeder Schuld mich freundlich freizusprechen.

Der hohe Staatsanwalt
Spricht man dich frei – womit uns Gott verschone! –
Noch selbigen Tags leg' ich Berufung ein.   10
Nicht jeder Richter trägt der Weisheit Krone,
Um so verständiger wird ein nächster sein.
Und zeigt auch der sich für den Autor sanft,
Dein Schauspiel sicherlich wird eingestampft.

Der verschämte Autor   15
Dann laß ich es zum zweiten Male drucken,
Und zwar in ernsterer, edlerer Gestalt,
Nicht mehr im Gaunerwelsch der Mamelucken,
Im klarsten Deutsch und ohne Hinterhalt.
Ich bin's gewiß: Dann muß es ihm gelingen,   20
Sich unbehelligt selber durchzuringen.

Der hohe Staatsanwalt
Grundgütiger Galgen! Dann fehlt nichts auf Erden,
Als daß dies Stück noch auf die Bühne kommt.
Doch vorher soll es so geläutert werden,   25
Daß es dir nicht mehr zur Reklame frommt.
Der Weg für deinen giftigen Höllenkrater
Führt über meinen Leichnam zum Theater.

Der verschämte Autor
Was schiert mich das Theater! Unsere kühne   30
Tagtäglichkeit erreicht's bekanntlich nie.

Das menschliche Gehirn sei meine Bühne,
Mein Lieblingsregisseur die Phantasie.
(Zum hohen Staatsanwalt.)
Und dir wird nichts Geringres übrigbleiben,
5   Als selbst mir den Prolog dafür zu schreiben.

Der rührige Verleger
(sich zwischen beide drängend)
Prolog ist herrlich! Druckt ihn eine Zeitung,
Dann sind wir schon so gut wie aufgeführt.
10 Nun sorg' ich hurtig für des Buchs Verbreitung,
Prospekte werden schleunigst expediert,
Und eh' das Publikum noch Platz genommen,
Bin ich gewiß, daß keine Krebse kommen.

Der normale Leser
15 *(gleichfalls die Mitte nehmend)*
Dann pflanz' ich breit mich in die erste Reihe
Mit meinem Freibillett und schnarche laut.
Das ahnt kein Mensch, wie ich mich dran erfreue,
Wenn so wer Schnitzler oder Shakespeare kaut.
20 Ist's nicht genug, daß christlich ich verzeihe,
Und niemand merkt, wie sehr mir davor graut?

Chorus

Der hohe Staatsanwalt
(hält den Arm um den normalen Leser geschlungen)
25 So pflegen wir gemeinsam das Gehege
Dramatischer Dichtung mit verteilter Kraft.

Der normale Leser
Wenn ich auch meinen Wanst am liebsten pflege,
Mir fehlt doch nie die große Leidenschaft.

Der rührige Verleger
(*hält den Arm um den verschämten Autor geschlungen*)
Ich freue mich, wenn sich die Menschen freuen,
Am ehrlichsten am Funkelnagelneuen.

Der verschämte Autor   5
Wenn's not tut, geb' ich meine Freiheit hin
Für dich, o Muse, meine Herrscherin.

Erster Aufzug

Prachtvoller Saal in deutscher Renaissance mit schwerem Plafond aus geschnitztem Eichenholz. Die Wände sind bis zur halben Höhe mit dunklen Holzskulpturen bekleidet; darüber an beiden Seiten ver-
5 *blaßte Gobelins. Nach hinten oben ist der Saal durch eine verhängte Galerie abgeschlossen, von der links eine monumentale Treppe bis zur halben Tiefe der Bühne herabführt. In der Mitte unter der Galerie befindet sich die Eingangstür mit gewundenen Säulen und Frontispiz. An der rechten Seitenwand ein geräumiger hoher Kamin, weiter vorn*
10 *ein Balkonfenster mit geschlossenen schweren Gardinen; an der linken Seitenwand vor dem Treppenfuß eine geschlossene Portiere. Vor dem Fußpfeiler des freien Treppengeländers steht eine leere dekorative Staffelei; links vorn befindet sich eine breite Ottomane, in der Mitte des Saales ein viereckiger Tisch, um den drei hochlehnige Polsterses-*
15 *sel stehen. Links vorn ein kleiner Serviertisch, daneben ein Lehnsessel. Der Saal ist durch eine auf dem Mitteltisch stehende, tiefverschleierte Petroleumlampe matt erhellt.* ALWA SCHÖN *geht vor der Eingangstür auf und nieder. Auf der Ottomane sitzt* RODRIGO, *als Bedienter gekleidet. Rechts in dem Lehnsessel, in schwarzem, enganliegenden*
20 *Kleid, tief in Kissen gebettet, einen Plaid über den Knien, sitzt die* GRÄFIN GESCHWITZ. *Neben ihr auf dem Tisch steht eine Kaffeemaschine und eine Tasse mit schwarzem Kaffee.*
Rechts und links vom Zuschauer aus.

RODRIGO. Er läßt auf sich warten wie ein Konzertmeister!
25 DIE GESCHWITZ. Ich beschwöre Sie, sprechen Sie nicht!
RODRIGO. Es soll einer die Klappe halten, wenn er den Kopf so voll Gedanken hat wie ich! – Es will mir ganz und gar nicht einleuchten, daß sie sich dabei sogar noch zu ihrem Vorteil verändert haben soll!
30 DIE GESCHWITZ: Sie ist herrlicher anzuschauen, als ich sie je gekannt habe!
RODRIGO. Behüte mich der Himmel davor, daß ich mein Lebensglück auf Ihre Geschmacksrichtungen gründe! Wenn ihr die Krankheit ebensogut angeschlagen hat wie
35 Ihnen, dann bin ich pleite! Sie verlassen die Isolierbaracke wie eine verunglückte Kautschukdame, die sich aufs

Kunsthungern geworfen hat. Sie können sich kaum mehr
die Nase schneuzen. Erst brauchen Sie eine Viertelstunde,
um Ihre Finger zu sortieren, und dann bedarf es der größten Vorsicht, damit Sie die Spitze nicht abbrechen.

DIE GESCHWITZ. Was uns unter die Erde bringt, gibt ihr Kraft   5
und Gesundheit wieder.

RODRIGO. Das ist alles schön und gut. Ich werde aber doch
vermutlich heute abend noch nicht mitfahren.

DIE GESCHWITZ. Sie wollen Ihre Braut am Ende gar allein
reisen lassen?   10

RODRIGO. Erstens fährt doch der Alte mit, um sie im Ernst-
falle zu verteidigen. Meine Begleitung kann sie nur ver-
dächtigen. Und zweitens muß ich hier noch abwarten, bis
meine Kostüme fertig sind. – Ich komme immer noch früh
genug über die Grenze. Hoffentlich legt sie sich derweil   15
auch noch etwas Embonpoint zu. Dann wird geheiratet,
vorausgesetzt, daß ich sie vor einem anständigen Publikum
produzieren kann. Ich liebe an einer Frau das Praktische;
welche Theorien sich die Weiber machen, ist mir vollkommen egal. Ihnen nicht auch, Herr Doktor?   20

ALWA. Ich habe nicht gehört, was Sie sagten.

RODRIGO. Ich hätte meine Person gar nicht in das Komplott
verwickelt, wenn sie mir nicht vor ihrer Verurteilung schon
immer die Plauze gekitzelt hätte. Wenn sie sich im Ausland
nur nicht gleich wieder zu viel Bewegung macht! Am lieb-   25
sten nähme ich sie auf ein halbes Jahr mit nach London und
ließe sie Plumkakes futtern. In London geht man schon
allein durch die Seeluft auf. Außerdem fühlt man in London auch nicht bei jedem Schluck Bier immer gleich die
Schicksalshand an der Gurgel.   30

ALWA. Ich frage mich seit acht Tagen, ob sich jemand, der zu
Zuchthausstrafe verurteilt war, wohl noch zur Hauptfigur
in einem modernen Drama eignen würde.

DIE GESCHWITZ. Käme der Mensch nur endlich mal.

RODRIGO. Ich muß hier auch meine Requisiten noch aus dem   35
Pfandleihhaus auslösen; sechshundert Kilo vom besten Ei-

sen. Der Transport kostet mich immer dreimal mehr als
meine eigene Fahrkarte. Dabei ist die ganze Ausrüstung
keinen Hosenknopf wert. Als ich schweißtriefend damit
im Pfandhaus ankam, fragten sie mich, ob die Sachen auch
5 echt seien. – Die Kostüme hätte ich mir eigentlich richtiger
im Ausland anfertigen lassen sollen. Der Pariser zum Beispiel merkt auf den ersten Blick, wo man seine Vorzüge
hat. Da dekolletiert er tapfer drauflos. Aber das lernt sich
nicht mit untergeschlagenen Beinen; das will an klassisch
10 gebildeten Menschen studiert sein. Hier haben sie eine
Angst vor der bloßen Haut wie im Auslande vor den Dyna-
mitbomben. Vor zwei Jahren wurde ich im Alhambra-
Theater zu fünfzig Mark Strafe verknallt, wie man sah, daß
ich ein paar Haare auf der Brust habe, nicht so viel wie zu
15 einer anständigen Zahnbürste nötig sind. Aber der Kultus-
minister meinte, die kleinen Schulmädchen könnten darüber die Freude am Strümpfestricken verlieren. Seitdem
lasse ich mich jeden Monat einmal rasieren.

ALWA. Wenn ich jetzt nicht meine ganze geistige Spannkraft
20 zu dem »Weltbeherrscher« nötig hätte, möchte ich das
Problem wohl auf seine Tragfähigkeit erproben. Das ist der
Fluch, der auf unserer jungen Literatur lastet, daß wir viel
zu literarisch sind. Wir kennen keine anderen Fragen und
Probleme als solche, die unter Schriftstellern und Gelehr-
25 ten auftauchen. Unser Gesichtskreis reicht über die Grenzen unserer Zunftinteressen nicht hinaus. Um wieder auf
die Fährte einer großen gewaltigen Kunst zu gelangen,
müßten wir uns möglichst viel unter Menschen bewegen,
die nie in ihrem Leben ein Buch gelesen haben, denen die
30 einfachsten animalischen Instinkte bei ihren Handlungen
maßgebend sind. In meinem »Erdgeist« habe ich schon aus
voller Kraft nach diesen Prinzipien zu arbeiten gesucht.
Das Weib, das mir zu der Hauptfigur des Stückes Modell
stehen mußte, atmet heute seit einem vollen Jahr hinter
35 vergitterten Fenstern. Dafür wurde das Drama sonder-
barerweise allerdings auch nur von der freien literarischen

Gesellschaft zur Aufführung gebracht. Solange mein Vater
noch lebte, standen meinen Schöpfungen sämtliche Bühnen Deutschlands offen. Das hat sich gewaltig geändert.

RODRIGO. Ich habe mir Trikots im zartesten Blau-Grün
anfertigen lassen. Wenn die im Ausland keinen Sukzeß   5
haben, dann will ich Mausefallen verkaufen. Die Scham-
höschen sind so graziös, daß ich mich damit auf keine
Tischkante setzen kann. Der vorteilhafte Eindruck wird
nur durch meine fürchterliche Plauze gestört, die ich meiner tätigen Mitwirkung in dieser großartigen Verschwö-   10
rung zu danken habe. Bei gesunden Gliedern drei Monate
lang im Krankenhaus liegen, das muß den heruntergekom-
mensten Landstreicher zum Mastschwein machen. Seit ich
heraus bin, futtere ich nichts als Karlsbader Pastillen; Tag
und Nacht habe ich Orchesterprobe in den Gedärmen. Bis   15
ich über die Grenze komme, werde ich so ausgeschwemmt
sein, daß ich keinen Flaschenstöpsel mehr hochheben
kann.

DIE GESCHWITZ. Wie ihr gestern im Krankenhaus das Wacht-
personal aus dem Wege ging, das war ein erquickender   20
Anblick. Der Garten war ausgestorben. In der herrlichsten
Mittagssonne wagten sich die Rekonvaleszenten nicht aus
den Haustüren. Ganz hinten bei der Isolierbaracke trat s i e
unter den Maulbeerbäumen vor und wiegte sich auf dem
Kies in den Knöcheln. Der Portier hatte mich wiederer-   25
kannt und ein Assistenzarzt, der mir im Korridor begegne-
te, fuhr zusammen, als hätte ihn ein Revolverschuß getroffen. Die Krankenschwestern huschten in die Säle oder blie-
ben an den Wänden kleben. Als ich zurückkam, war weder
im Garten noch unter dem Portal eine Seele zu sehen. Die   30
Gelegenheit hätte sich nicht schöner finden können, wenn
wir die verfluchten Pässe gehabt hätten. Und jetzt sagt der
Mensch, er fahre nicht mit!

RODRIGO. Ich verstehe die armen Spitalbrüder. Der eine hat
einen wehen Fuß, der andere hat eine geschwollene Backe;   35
da taucht die leibhaftige Todesversicherungsagentin mitten

unter ihnen auf. In den Rittersälen, so heißt die gesegnete
Abteilung, von der aus ich meine Spionage organisiere, als
sich da die Kunde verbreitete, daß die Schwester Theophila
mit Tod abgegangen sei, da war keiner der Kerle im Bett zu
5 halten. Sie kletterten an den Fenstergittern hinauf, und
wenn sie ihre Leiden zentnerweise mitschleppten. Im Leben habe ich kein solches Fluchen gehört.

ALWA. Erlauben Sie mir, Fräulein von Geschwitz, noch einmal auf meinen Vorschlag zurückzukommen. Die Frau hat
10 in diesem Zimmer meinen Vater erschossen; trotzdem
kann ich in dem Morde wie in der Strafe nichts anderes als
ein entsetzliches Unglück sehen, das sie betroffen hat. Ich
glaube auch, mein Vater hätte, wäre er mit dem Leben
davongekommen, seine Hand nicht vollständig von ihr ab-
15 gezogen. Ob Ihnen Ihr Befreiungsplan gelingen wird,
scheint mir immer noch zweifelhaft, obschon ich Sie nicht
entmutigen möchte. Aber ich finde keine Worte für die
Bewunderung, die mir Ihre Aufopferung, Ihre Tatkraft,
Ihre übermenschliche Todesverachtung einflößen. Ich
20 glaube nicht, daß je ein Mann soviel für eine Frau, geschweige denn für einen Freund aufs Spiel gesetzt hat. Ich
weiß nicht, Fräulein von Geschwitz, wie reich Sie sind;
aber die Ausgaben für diese Bewerkstelligungen müssen
Ihre Vermögensverhältnisse zerrüttet haben. Darf ich Ih-
25 nen ein Darlehen von zwanzigtausend Mark anbieten, dessen Herbeischaffung in barem Geld für mich mit keinerlei
Schwierigkeiten verbunden wäre?

DIE GESCHWITZ. Wie wir gejubelt haben, als die Schwester
Theophila glücklich t o t war! Von dem Tage an waren wir
30 ohne Aufsicht. Wir wechselten nach Belieben die Betten.
Ich hatte ihr meine Frisur gemacht und ahmte in jedem
Laut ihre Stimme nach. Wenn der Professor kam, redete er
s i e per gnädiges Fräulein an und sagte zu mir: »Hier
lebt sich's besser als im Gefängnis!« – Als die Schwester
35 plötzlich ausblieb, sahen wir einander gespannt an;
wir beide waren fünf Tage krank; jetzt mußte es sich ent-

scheiden. Am nächsten Morgen kam der Assistenzarzt. –
»Wie geht es der Schwester Theophila?« – »Tot!« – Wir
verständigten uns hinter seinem Rücken, und als er hinaus war, sanken wir uns in die Arme: »Gott sei Dank!
Gott sei Dank!« – Welche Mühe es kostete, damit mein   5
Liebling nicht verriet, wie gesund er schon war! – »Du
hast neun Jahre Gefängnis vor dir!« rief ich von früh bis
spät. – Man läßt sie jetzt auch wohl keine drei Tage mehr
in der Isolierbaracke.

RODRIGO. Ich habe volle drei Monate im Krankenhaus gele-   10
gen, um das Terrain zu sondieren, nachdem ich mir die
Qualitäten zu einem so ausgedehnten Aufenthalt auch erst
mühsam zusammenhausiert hatte. Jetzt spiele ich hier bei
Ihnen, Herr Doktor, den Kammerdiener, damit keine
fremde Bedienung ins Haus kommt. Wo hat je ein Bräuti-   15
gam mehr für seine Braut getan. Meine Vermögensverhältnisse sind auch zerrüttet.

ALWA. Wenn es Ihnen gelingt, die Frau zu einer anständigen
Künstlerin auszubilden, dann haben Sie sich um Ihre Mitwelt verdient gemacht. Mit dem Temperament und der   20
Schönheit, die sie aus dem Innersten ihrer Natur heraus zu
geben hat, kann sie das blasierteste Publikum in Atem halten. Dabei wäre sie durch die Wiedergabe der Leidenschaft
davor geschützt, zum zweitenmal in Wirklichkeit zur Ver-
brecherin zu werden.   25

RODRIGO. Ich will ihr ihre Zicken schon austreiben!

DIE GESCHWITZ. Da kommt er!

*(Auf der Galerie werden Schritte laut; dann teilt sich der Vorhang
über der Treppe und* SCHIGOLCH *im langen schwarzen Gehrock,
einen weißen Entoutcas in der Rechten, tritt heraus. Während aller*   30
drei Akte ist sein Sprechen von häufigem Gähnen unterbrochen).

SCHIGOLCH. Vermaledeite Finsternis! Draußen brennt einem
die Sonne die Augen aus.

DIE GESCHWITZ *(sich mühsam aus der Decke wickelnd).* Ich
komme schon!   35

RODRIGO. Gräfliche Gnaden haben seit drei Tagen kein

Tageslicht mehr gesehen. Wir leben hier wie in einer
Schnupftabaksdose.

SCHIGOLCH. Seit heute früh um neun fahre ich bei allen Lum-
pensammlern herum. Drei nagelneue Koffer, vollgestopft
5 mit alten Hosen, habe ich über Bremerhaven nach Buenos
Aires spediert. Die Beine baumeln mir wie Glocken-
schwengel am Leib. Das soll von nun an ein anderes Leben
werden!

RODRIGO. Wo wollt ihr denn morgen früh absteigen?

10 SCHIGOLCH. Hoffentlich nicht gleich wieder im Hotel »Ochsenbutter«!

RODRIGO. Ich kann euch ein ausgezeichnetes Hotel empfehlen. Ich wohnte dort mit einer Löwenbändigerin. Die Leute sind geborene Berliner.

15 DIE GESCHWITZ *(sich im Rohrstuhl aufrichtend).* Helfen Sie mir
doch!

RODRIGO *(eilt herbei und stützt sie).* Dabei seid ihr dort sicherer
vor der Polizei als auf dem hohen Turmseil!

DIE GESCHWITZ. Er will Sie nämlich heute nachmittag allein
20 mit ihr reisen lassen.

SCHIGOLCH. Er leidet wohl noch an seinen Frostbeulen!

RODRIGO. Verlangt ihr denn von mir, daß ich in meinem
neuen Engagement in Schlafrock und Pantoffeln debü-
tiere?

25 SCHIGOLCH. Hm – die Schwester Theophila wäre auch nicht
so prompt gen Himmel gefahren, wenn sie sich für unsere
Patientin nicht so liebevoll erwärmt hätte.

RODRIGO. Wenn einer den Honigmond bei ihr abzudienen
hat, wird sie sich noch ganz anders zur Geltung bringen. Es
30 kann ihr jedenfalls nicht schaden, wenn sie sich vorher
noch etwas auslüftet.

ALWA *(eine Brieftasche in der Hand, zur Geschwitz, die auf eine
Stuhllehne gestützt am Mitteltisch steht).* Diese Tasche enthält
zehntausend Mark.

35 DIE GESCHWITZ. Ich danke, nein.

ALWA. Ich bitte Sie, sie zu nehmen.

DIE GESCHWITZ *(zu Schigolch)*. Kommen Sie doch endlich!
SCHIGOLCH. Geduld, mein Fräulein. Es ist ja nur der Katzen-
  sprung über die Spitalstraße. – In fünf Minuten bin ich mit
  ihr hier.
ALWA. Sie bringen sie her?   5
SCHIGOLCH. Ich bringe sie her. – Oder fürchten Sie für Ihre
  Gesundheit?
ALWA. Das sehen Sie doch, daß ich nichts fürchte.
RODRIGO. Der Herr Doktor ist nach dem letzten Drahtbe-
  richt auf der Reise nach Konstantinopel begriffen, um sei-   10
  nen »Erdgeist« von Haremsdamen und Eunuchen vor dem
  Sultan zur Aufführung bringen zu lassen.
ALWA *(die Mitteltür unter der Galerie öffnend)*. Sie gehen hier
  näher.
  (Schigolch und die Gräfin Geschwitz verlassen den Saal. Alwa ver-   15
  schließt die Türe hinter ihnen.)
RODRIGO. Sie wollten der verrückten Rakete noch Geld
  geben.
ALWA. Was geht Sie das an?!
RODRIGO. Mich honoriert man wie einen Lampenputzer,   20
  obschon ich sämtliche Schwestern im Spital habe demorali-
  sieren müssen. Dann kamen die Herren Assistenzärzte und
  Geheimräte an die Reihe. Und dann . . .
ALWA. Wollen Sie mir im Ernste weismachen, daß sich die
  Geheimräte durch Sie haben beeinflussen lassen?   25
RODRIGO. Mit dem Gelde, das mich diese Herren gekostet
  haben, könnte ich in Amerika Präsident der Vereinigten
  Staaten werden.
ALWA. Fräulein von Geschwitz hat Ihnen doch jeden Pfennig,
  den Sie ausgegeben haben, zurückerstattet. Soviel ich weiß,   30
  beziehen Sie außerdem noch ein monatliches Salär von
  fünfhundert Mark von ihr. Es fällt einem manchmal ziemlich schwer, an Ihre Liebe zu der unglücklichen Mörderin
  zu glauben. Wenn ich eben Fräulein von Geschwitz darum
  bat, meine Hilfe anzunehmen, so geschah es gewiß nicht,   35
  um Ihre unersättliche Goldgier aufzustacheln. Die Bewun-

derung, die ich vor Fräulein von Geschwitz in dieser Sache
hegen gelernt, empfinde ich Ihnen gegenüber noch lange
nicht. Es ist mir überhaupt unklar, was Sie an mich für
Ansprüche geltend machen. Daß Sie zufällig bei der Er-
5 mordung meines Vaters zugegen waren, hat zwischen Ihnen und mir noch nicht die geringsten verwandtschaftli-
chen Bande geschaffen. Dagegen bin ich fest davon über-
zeugt, daß Sie, wenn Ihnen das heroische Unternehmen
der Gräfin Geschwitz nicht zugute gekommen wäre, heute
10 ohne einen Pfennig irgendwo betrunken im Rinnstein
lägen.

RODRIGO. Und wissen Sie, was aus Ihnen geworden wäre,
wenn Sie das Käseblatt, das Ihr Vater redigierte, nicht um
zwei Millionen veräußert hätten? – Sie hätten sich mit dem
15 ausgemergeltsten Ballettmädchen zusammengetan und
und wären heute Stallknecht im Zirkus Humpelmeier. Was
arbeiten Sie denn? – Sie haben ein Schauerdrama geschrieben, in dem die Waden meiner Braut die beiden Hauptfiguren sind und das kein Hoftheater zur Aufführung bringt.
20 Sie Nachtjacke Sie! Sie Schnodderlumpen! Ich habe auf
diesem Brustkasten noch vor zwei Jahren zwei gesattelte
Kavalleriepferde balanciert. Wie das jetzt mit der Plauze
werden soll, ist mir allerdings rätselhaft. Die Ausländerin-
nen bekommen einen schönen Begriff von der deutschen
25 Kunst, wenn sie mir bei jedem Kilo Mehrgewicht den
Schweiß aus den Trikots perlen sehen. Ich werde den ganzen Zuschauerraum verpesten mit meiner Ausdünstung.

ALWA. Sie sind ein Waschlappen.

RODRIGO. Wollte Gott, Sie hätten recht! Oder wollten Sie
30 mich vielleicht beleidigen? – Dann setze ich Ihnen die Fußspitze unter die Kinnlade, daß Ihnen Ihre Zunge dort drüben an der Tapete spazieren kriecht.

ALWA. Versuchen Sie das doch!

(Tritte und Stimmen werden von außen hörbar.)

35 ALWA. Wer ist das . . .?

RODRIGO. Sie können Gott danken, daß ich hier kein Publikum vor mir habe.

ALWA. Wer kann das sein?!

RODRIGO. Das ist meine Geliebte! Seit einem vollen Jahre haben wir uns jetzt nicht mehr gesehen.

ALWA. Wie wollten denn die schon zurück sein! – Wer mag da kommen! – Ich erwarte niemanden.

RODRIGO. Zum Henker, so schließen Sie doch auf!

ALWA. Verstecken Sie sich!

RODRIGO. Ich stelle mich hinter die Portiere. Da habe ich vor einem Jahr auch schon einmal gestanden.

(Rodrigo verschwindet hinter der Portiere links vorn. Alwa öffnet die Mitteltüre, worauf ALFRED HUGENBERG, *den Hut in der Hand, eintritt.)*

ALWA. Mit wem habe ich . . . Sie? – Sind Sie nicht . . .?

HUGENBERG. Alfred Hugenberg.

ALWA. Was wünschen Sie?

HUGENBERG. Ich komme von Münsterburg. Ich bin heute morgen geflüchtet.

ALWA. Ich bin augenleidend. Ich bin gezwungen, die Jalousien geschlossen zu halten.

HUGENBERG. Ich brauche Ihre Hilfe. Sie werden sie mir nicht versagen. Ich habe einen Plan vorbereitet. – Hört man uns?

ALWA. Wovon sprechen Sie? – Was für einen Plan?

HUGENBERG. Sind Sie allein?

ALWA. Ja. – Was wollen Sie mir mitteilen?

HUGENBERG. Ich habe zwei Pläne nacheinander wieder fallen lassen. Was ich Ihnen jetzt sage, ist bis auf jeden möglichen Zwischenfall durchgearbeitet. Wenn ich Geld hätte, würde ich Sie nicht ins Vertrauen ziehen. Ich dachte zuerst lange daran . . . Wollen Sie mir nicht erlauben, Ihnen meinen Entwurf auseinanderzusetzen?

ALWA. Wollen Sie mir bitte sagen, wovon Sie denn eigentlich sprechen?

HUGENBERG. Die Frau kann Ihnen unmöglich so gleichgültig sein, daß ich Ihnen das sagen muß. Was Sie vor dem

Untersuchungsrichter zu Protokoll gaben, hat ihr mehr
genützt als alles, was der Verteidiger sagte.

ALWA. Ich verbitte mir eine derartige Unterstellung.

HUGENBERG. Das sagen Sie so; das verstehe ich natürlich.
5 Aber Sie waren doch ihr bester Entlastungszeuge.

ALWA. Sie waren der! Sie sagten, mein Vater habe sie zwingen
wollen, sich selbst zu erschießen.

HUGENBERG. Das wollte er auch. Aber man glaubte mir nicht;
ich wurde nicht vereidigt.

10 ALWA. Wo kommen Sie jetzt her?

HUGENBERG. Aus einer Besserungsanstalt, aus der ich heute
morgen ausgebrochen bin.

ALWA. Und was beabsichtigen Sie?

HUGENBERG. Ich erschleiche mir das Vertrauen eines Gefäng-
15 nisschließers.

ALWA. Wovon wollen Sie denn leben?

HUGENBERG. Ich wohne bei einem Mädchen, das ein Kind
von meinem Vater hat.

ALWA. Wer ist Ihr Vater?

20 HUGENBERG. Er ist Polizeidirektor. Ich kenne das Gefängnis,
ohne daß ich jemals drin war; und mich wird, so wie ich
jetzt bin, kein Aufseher erkennen. Aber darauf rechne ich
gar nicht. Ich weiß eine eiserne Leiter, von der man vom
ersten Hof aus aufs Dach und durch eine Dachluke unter
25 den Dachboden gelangt. Vom Innern aus führt kein Weg
dorthin. Aber in allen fünf Flügeln liegen Bretter und Latten unter den Dächern und große Haufen Späne. Ich
schleppe die Bretter und Latten an fünf Enden zusammen
und zünde sie an. Ich habe alle Taschen voll Zündmaterial,
30 wie es zum Feuermachen gebraucht wird.

ALWA. Dann verbrennen Sie doch!

HUGENBERG. Natürlich, wenn ich nicht gerettet werde. Aber
um in den ersten Hof zu kommen, muß ich den Schließer in
meiner Gewalt haben und dazu brauche ich Geld. Nicht
35 daß ich ihn bestechen will; das würde nicht gelingen. Ich
muß ihm das Geld vorher leihen, damit er seine drei Kinder

in die Sommerfrische schicken kann. Dann drücke ich
mich morgens um vier, wenn die Sträflinge aus geachteten
Familien entlassen werden, zur Tür hinein. Er schließt hinter mir ab. Er fragt mich, was ich vorhabe; ich bitte ihn,
mich am Abend wieder hinauszulassen. Und eh' es hell　5
wird, bin ich unter dem Dachboden.

ALWA. Wie sind Sie aus der Besserungsanstalt entkommen?

HUGENBERG. Ich bin zum Fenster hinausgesprungen. Ich
brauche zweihundert Mark, damit der Kerl seine Familie in
die Sommerfrische schicken kann.　　　　　　　　　　10

RODRIGO *(aus der Portiere tretend)*. Wünschen der Herr Baron
den Kaffee im Musikzimmer oder auf der Veranda serviert?

HUGENBERG. Wo kommt der Mensch her?! – Aus derselben
Türe! – Er sprang aus derselben Türe heraus!

ALWA. Ich habe ihn in Dienst genommen. Er ist zuverlässig.　15

HUGENBERG *(sich an die Schläfen greifend)*. Ich Dummkopf! –
Ich Dummkopf!

RODRIGO. Ja, ja, wir haben uns hier schon gesehen! Scheren
Sie sich zu Ihrer Frau Vize-Mama! Ihr Brüderchen möchte
seinen Geschwistern gerne Onkel werden. Machen Sie Ih-　20
ren Herrn Papa zum Großvater seiner Kinder. Sie haben
uns gefehlt! Wenn Sie mir in den nächsten vierzehn Tagen
noch einmal unter die Augen kommen, dann schlage ich
Ihnen den Kürbis zu Brei zusammen.

ALWA. Seien Sie doch ruhig!　　　　　　　　　　　　25

HUGENBERG. Ich Dummkopf!

RODRIGO. Was wollen Sie mit Ihren Brennmaterialien! – Wissen Sie denn nicht, daß die Frau seit drei Wochen tot ist?

HUGENBERG. Hat man ihr den Kopf abgeschlagen?

RODRIGO. Nein, d e n hat sie noch. Sie ist an der Cholera　30
krepiert.

HUGENBERG. Das ist nicht wahr.

RODRIGO. Was wollen Sie denn wissen! – Da, lesen Sie; hier!
(Zieht ein Zeitungsblatt hervor und deutet auf eine Notiz darin.)
»Die Mörderin des Dr. Schön . . .« *(Gibt das Blatt an Hugen-*　35
berg.)

HUGENBERG *(liest).* »Die Mörderin des Dr. Schön ist im Gefängnis auf unbegreifliche Weise an der Cholera erkrankt.«
– Da steht nicht, daß sie gestorben ist.

RODRIGO. Was will sie denn sonst getan haben? Sie liegt seit
5 drei Wochen auf dem Kirchhof. In der Ecke links hinten,
hinter den Müllhaufen, wo die kleinen Kreuze sind, an
denen kein Name steht, da liegt sie unter dem ersten. Sie
erkennen den Platz daran, daß kein Gras darauf wächst.
Hängen Sie einen Blechkranz hin und dann machen Sie,
10 daß Sie wieder in Ihre Kinderbewahranstalt kommen,
sonst denunziere ich Sie der Polizei. Ich kenne das Frauenzimmer, das sich durch Sie ihre Mußestunden versüßt.

HUGENBERG *(zu Alwa).* Ist es wahr, daß sie tot ist?

ALWA. Gott sei Dank, ja! – Ich bitte Sie, mich nicht länger in
15 Anspruch zu nehmen. Mein Arzt verbietet mir, Besuche
zu empfangen.

HUGENBERG. Meine Zukunft ist so wenig mehr wert! Ich
hätte das letzte Bißchen, das mir das Leben noch gilt, gerne
an ihr Glück hingegeben. Pfeif drein! Auf irgendeine Art
20 werde ich nun doch wohl zum Teufel gehen!

RODRIGO. Wenn Sie sich unterstehen und mir oder dem
Herrn Doktor hier oder meinem ehrenwerten Freund
Schigolch noch in irgendwelcher Weise zu nahe zu treten,
dann verklage ich Sie wegen beabsichtigter Brandstifterei.
25 Ihnen tun drei Jahre Zuchthaus not, damit Sie wissen, wo
Ihre Finger nicht hineingehören. – Und jetzt hinaus!

HUGENBERG. Ich Dummkopf!

RODRIGO. Hinaus!! *(Wirft Hugenberg zur Tür hinaus. Nach vorne
kommend.)* Nimmt mich wunder, daß Sie dem Lümmel
30 nicht auch Ihr Portemonnaie zur Verfügung gestellt haben.

ALWA. Ich verbitte mir Ihre Unflätigkeiten! Der Junge ist im
kleinen Finger mehr wert als Sie!

RODRIGO. Ich habe an dieser Geschwitz schon Genossen-
schaft genug. Soll meine Braut eine Gesellschaft mit be-
35 schränkter Haftpflicht werden, dann mag ein anderer
vorangehen. Ich gedenke die pompöseste Luftgymna-

stikerin aus ihr zu machen und setze deshalb gerne mein
Leben aufs Spiel. Aber dann bin ich Herr im Hause und
bezeichne selber die Kavaliere, die sie bei sich zu empfangen hat.

ALWA. Der Junge hat das, was unserem Zeitalter fehlt. Er ist   5
eine Heldennatur. Er geht deshalb natürlich zugrunde.
Erinnern Sie sich, wie er vor Verkündigung des Urteils aus
der Zeugenbank sprang und dem Vorsitzenden zurief:
»Woher wollen Sie wissen, was aus Ihnen geworden wäre,
wenn Sie sich als zehnjähriges Kind die Nächte barfuß hät-   10
ten in den Cafés herumtreiben müssen?!«

RODRIGO. Hätte ich ihm nur gleich eine dafür in die Fresse
hauen können! – Gottlob gibt es Zuchthäuser, in denen
man solchem Pack Achtung vor dem Gesetz einflößt.

ALWA. Er wäre so einer, der mir in meinem »Weltbeherr-   15
scher« Modell stehen könnte. Seit zwanzig Jahren bringt
die Literatur nichts als Halbmenschen zustande; Männer,
die keine Kinder machen und Weiber, die keine gebären
können. Das nennt sich »modernes Problem«.

RODRIGO. Ich habe mir eine zwei Zoll dicke Nilpferdpeitsche   20
bestellt. Wenn die keinen Sukzeß bei ihr hat, dann will ich
Kartoffelsuppe im Hirnkasten haben. Sei es Liebe, seien es
Prügel, danach fragt kein Weiberfleisch; hat es nur Unterhaltung, dann bleibt es stramm und frisch. Sie steht jetzt im
zwanzigsten Jahr, war dreimal verheiratet, hat eine kolos-   25
sale Menge Liebhaber befriedigt, da melden sich auch
schließlich die Herzensbedürfnisse. Aber dem Kerl müssen
die sieben Todsünden auf der Stirn geschrieben stehen,
sonst verehrt sie ihn nicht. Wenn der Mensch so aussieht,
als hätte ihn ein Hundefänger auf die Straße gespuckt, dann   30
hat er bei solchen Frauenspersonen keinen Prinzen zu
fürchten. Ich miete eine fünfzig Fuß hohe Garage, da wird
sie dressiert; und hat sie den ersten Tauchersprung exekutiert, ohne den Hals zu brechen, dann ziehe ich meinen
schwarzen Frack an und rühre bis an mein Lebensende   35
keinen Finger mehr. Bei ihrer praktischen Einrichtung ko-

stet es die Frau nicht halb soviel Mühe, ihren Mann zu
ernähren, wie umgekehrt. Wenn ihr der Mann nur die geistige Arbeit besorgt und den Familiensinn nicht in die Bin-
sen gehen läßt.

5 ALWA. Ich habe die Menschheit beherrschen und als eingefah-
renen Viererzug vor mir im Zügel fahren gelernt – aber der
Junge will mir nicht aus dem Kopf. Ich kann bei diesem
Gymnasiasten wirklich noch Privatunterricht in der Welt-
verachtung nehmen.

10 RODRIGO. Sie soll sich das Fell getrost mit Tausendmark-
scheinen tapezieren lassen! Den Direktoren zapfe ich die
Gagen mit der Zentrifugalpumpe ab. Ich kenne die Bande.
Brauchen sie einen nicht, dann darf man ihnen die Stiefel
putzen, und wenn sie eine Künstlerin nötig haben, dann
15 schneiden sie sie mit den verbindlichsten Komplimenten
eigenhändig vom lichten Galgen herunter.

ALWA. In meinen Verhältnissen habe ich außer dem Tod
nichts mehr in dieser Welt zu fürchten – im Reich der
Empfindungen bin ich der ärmste Bettler! Aber ich bringe
20 den moralischen Mut nicht mehr auf, meine befestigte Position gegen die Aufregungen des wilden Abenteurerlebens
einzutauschen.

RODRIGO. Sie hatte Papa Schigolch und mich zusammen auf
den Strich geschickt, damit wir ihr ein kräftiges Mittel ge-
25 gen Schlaflosigkeit aufstöbern. Jeder bekam ein Zwanzig-
markstück für Reisekosten. Da sehen wir den Jungen im
Café »Nachtlicht« sitzen. Er saß wie ein Verbrecher auf der
Anklagebank. Schigolch beroch ihn von allen Seiten und
sagte: »Der ist noch Jungfrau.«

30 *(Oben auf der Galerie werden schleppende Schritte hörbar.)*

RODRIGO. Da ist sie! – Die zukünftige pompöseste Luftgym-
nastikerin der Jetztzeit!
(Über der Treppe teilt sich der Vorhang und LULU *im schwarzen
Kleid auf Schigolchs Arm gestützt, schleppt sich langsam die Treppe*
35 *herunter).*

SCHIGOLCH. Hü, alter Schimmel! Wir müssen heute noch
über die Grenze.

RODRIGO *(Lulu mit blöden Augen anglotzend)*. Himmel, Tod
und Wolkenbruch!

LULU *(spricht bis zum Schluß des Aktes alles in munterstem Ton)*.   5
Langsam! Du klemmst mir den Arm ein!

RODRIGO. Woher nimmst du die Schamlosigkeit, mit einem
solchen Wolfsgesicht aus dem Gefängnis auszubrechen?!

SCHIGOLCH. Halt die Schnauze!

RODRIGO. Ich laufe nach der Polizei! Ich mache Anzeige!   10
Diese Vogelscheuche will sich in Trikots sehen lassen. Da
kosten schon die Wattons zwei Monatsgagen. – Du bist die
perfideste Hochstaplerin, die je im Hotel »Ochsenbutter«
Logis bezogen hat!

ALWA. Ich bitte Sie, die Frau nicht zu beschimpfen!   15

RODRIGO. Beschimpfen nennen Sie das?! – Ich habe mir dieser abgenagten Knochen wegen meinen Wanst angefres-
sen! Ich bin erwerbsunfähig! Ich will ein Hanswurst sein,
wenn ich noch einen Besenstiel hochstemmen kann! Aber
mich soll hier auf dem Platze der Blitz erschlagen, wenn ich   20
mir nicht eine Lebensrente von zehntausend Mark jährlich
aus Ihren Betrügereien herausknoble! Das kann ich Ihnen
sagen! Glückliche Reise! Ich laufe nach der Polizei! – *(Ab.)*

SCHIGOLCH. Lauf, lauf!

LULU. Der wird sich hüten!   25

SCHIGOLCH. Den sind wir los. – Und jetzt schwarzen Kaffee
für die Dame!

ALWA *(am Tisch links vorn)*. Hier ist Kaffee; man braucht nur
einzuschenken.

SCHIGOLCH. Ich muß noch die Schlafwagenbillette besorgen.   30

LULU *(hell)*. O Freiheit! Herr Gott im Himmel!

SCHIGOLCH. In einer halben Stunde hol' ich dich. Abschied
feiern wir im Bahnhofsrestaurant. Ich bestelle ein Souper,
das bis morgen früh vorhält. – Guten Morgen, Herr
Doktor!   35

ALWA. Guten Abend!

SCHIGOLCH. Angenehme Ruhe! – Danke, ich kenne hier jede
Türklinke. Auf Wiedersehen! Viel Vergnügen! – *(Durch die
Mitteltür ab.)*

LULU. Ich habe seit anderthalb Jahren kein Zimmer gesehen –
5 Vorhänge, Sessel, Bilder ...

ALWA. Willst du nicht trinken?

LULU. Ich habe seit fünf Tagen schwarzen Kaffee genug
geschluckt. Hast du keinen Schnaps?

ALWA. Ich habe Elixier de Spa.

10 LULU. Das erinnert an alte Zeiten. *(Sieht sich, während Alwa zwei
Gläser füllt, im Saal um.)* Wo ist denn mein Bild?

ALWA. Das habe ich in meinem Zimmer, damit man es hier
nicht sieht.

LULU. Hol' doch das Bild her.

15 ALWA. Hast du deine Eitelkeit auch im Gefängnis nicht verloren?

LULU. Wie angstvoll einem ums Herz wird, wenn man mona-
telang sich selbst nicht mehr gesehen hat. Dann bekam ich
eine nagelneue Kehrichtschaufel. Wenn ich morgens um
20 sieben ausfegte, hielt ich sie mir mit der Rückseite vors
Gesicht. Das Blech schmeichelt nicht, aber ich hatte doch
meine Freude. – Hol' das Bild aus deinem Zimmer. Soll ich
mitkommen?

ALWA. Um Gottes willen, du mußt dich schonen!

25 LULU. Ich habe mich jetzt lang genug geschont.

ALWA *(geht durch die Türe links ab, um das Bild zu holen).*

LULU *(allein).* Er ist herzleidend; aber sich vierzehn Monate
mit der Einbildung plagen müssen ... Er küßt mit Todes-
bangen und seine beiden Knie schlottern, wie bei einem
30 ausgefrorenen Handwerksburschen. In Gottes Namen! – –
Hätte ich in diesem Zimmer nur seinen Vater nicht in den
Rücken geschossen!

ALWA *(kommt zurück mit Lulus Bild im Pierrotkostüm).* Es ist ganz
verstaubt. Ich hatte es mit der Vorderseite gegen den Ka-
35 min gelehnt.

LULU. Du hast es nicht angesehen, während ich fort war?

ALWA. Ich hatte infolge des Verkaufs unserer Zeitung so viel
geschäftliche Dinge zu erledigen. Die Geschwitz würde es
gerne bei sich in ihrer Wohnung aufgehängt haben, aber sie
hatte Haussuchungen zu gewärtigen. *(Er hebt das Bild auf die
Staffelei.)*   5
LULU *(froh)*. Nun lernt das arme Ungeheuer das Freudenleben
im Hotel »Ochsenbutter« auch aus eigner Erfahrung
kennen.
ALWA. Ich begreife noch jetzt nicht, wie die Ereignisse eigentlich zusammenhängen.   10
LULU. Oh, die Geschwitz hat das sehr klug eingerichtet; ich
bewundere ihren Erfindungsgeist. In Hamburg muß diesen Sommer doch die Cholera so furchtbar gewütet haben.
D a r a u f gründete sie ihren Plan zu meiner Befreiung. Sie
nahm hier einen Krankenpflegerinnenkursus, und als sie   15
die nötigen Zeugnisse hatte, reiste sie damit nach Hamburg
und pflegte die Cholerakranken. Bei der ersten Gelegenheit, die sich bot, zog sie dann die Unterkleider an, in
denen eben eine Kranke gestorben war und die eigentlich
hätten verbrannt werden müssen. Am selben Morgen reiste   20
sie noch hierher und kam zu mir ins Gefängnis. In meiner
Zelle, als die Aufseherin draußen war, vertauschten wir
beide dann rasch unsere Unterkleider.
ALWA. Das also war die Ursache, weshalb die Geschwitz und
du am gleichen Tage an der Cholera erkranktet?!   25
LULU. Gewiß! Das war der Grund. – Die Geschwitz wurde
aus ihrer Wohnung natürlich sofort in die Isolierbaracke
beim Krankenhaus gebracht. Aber mit mir wußte man
auch nirgends anders hin. So lagen wir in einem Zimmer in
der Isolierbaracke hinter dem Krankenhaus, und die Ge-   30
schwitz bot vom ersten Tag an alle ihre Künste auf, um
unsere Gesichter einander so ähnlich wie möglich zu machen. Vorgestern wurde sie als geheilt entlassen. Eben kam
sie nun wieder und sagte, sie habe ihre Uhr vergessen. Ich
zog ihre Kleider an, sie schlüpfte in meinen Gefängniskit-   35

tel, und dann ging ich fort. *(Vergnügt.)* Jetzt liegt sie dort
drüben als die Mörderin des Dr. Schön.

ALWA. Mit dem Bilde kannst du es, soweit es die äußere
Erscheinung betrifft, immer noch aufnehmen.

5 LULU. Im Gesicht bin ich etwas schmal, aber sonst habe ich
nichts verloren. Man wird nur unglaublich nervös im Gefängnis.

ALWA. Du sahst schrecklich elend aus, als du hereinkamst.

LULU. Das mußte ich, um uns den Springfritzen vom Halse zu
10 schaffen. – Und du, was hast du in den anderthalb Jahren
getan?

ALWA. Ich hatte mit einem Stück, das ich über dich geschrieben, einen Achtungserfolg in der literarischen Gesellschaft.

15 LULU. Wer ist dein Schatz?

ALWA. Eine Schauspielerin, der ich eine Wohnung in der
Karlstraße gemietet habe.

LULU. Liebt sie dich?

ALWA. Wie soll ich das wissen! Ich habe die Frau seit sechs
20 Wochen nicht gesehen.

LULU. Erträgst du das?

ALWA. Das wirst du nie begreifen. Bei mir besteht die intimste
Wechselwirkung zwischen meiner Sinnlichkeit und meinem geistigen Schaffen. So z. B. bleibt mir dir gegenüber
25 nur die Wahl, dich künstlerisch zu gestalten oder dich zu
lieben.

LULU *(im Märchenton)*. Mir träumte alle paar Nächte einmal,
ich sei einem Lustmörder unter die Hände geraten. Komm,
gib mir einen Kuß!

30 ALWA. In deinen Augen schimmert es, wie der Wasserspiegel
in einem tiefen Brunnen, in den man einen Stein geworfen
hat.

LULU. Komm!

ALWA *(küßt sie)*. Deine Lippen sind allerdings etwas schmal
35 geworden.

LULU. Komm! *(Sie drängt ihn in einen Sessel und setzt sich ihm aufs*

Knie.) Graut dir vor mir? – Im Hotel »Ochsenbutter« beka-
men wir alle vier Wochen ein lauwarmes Bad. Die Auf-
seherinnen benutzten dann die Gelegenheit, um uns, sobald wir im Wasser waren, die Taschen zu durchsuchen.
(Sie küßt ihn leidenschaftlich.)   5

ALWA. Oh, oh!

LULU. Du fürchtest, du könntest, wenn ich fort bin, kein
   Gedicht mehr über mich machen?

ALWA. Im Gegenteil, ich werde einen Dithyrambus über
   deine Herrlichkeit schreiben.   10

LULU. Ich ärgere mich nur über das scheußliche Schuhwerk,
   das ich trage.

ALWA. Das beeinträchtigt deine Reize nicht. Laß uns der
   Gunst des Augenblickes dankbar sein.

LULU. Mir ist heute gar nicht danach zumut. – Erinnerst du   15
   dich des Kostümballes, auf dem ich als Knappe gekleidet
   war? Wie mir damals die beschwipsten Frauen nachrann-
   ten! Die Geschwitz kroch mir um die Füße herum und bat
   mich, ich möchte ihr mit meinen Zeugschuhen ins Gesicht
   treten.   20

ALWA. Komm, süßes Herz!

LULU *(in dem Tone, in dem man ein unartiges Kind beruhigt).*
   Ruhig; ich habe deinen Vater erschossen.

ALWA. Deswegen liebe ich dich nicht weniger. Einen Kuß!

LULU. Beug den Kopf zurück. *(Sie küßt ihn mit Bedacht.)*   25

ALWA. Du hältst meine Seelenglut durch die geschicktesten
   Künste zurück. Dabei atmet deine Brust so keusch. Und
   trotzdem, wenn deine beiden großen, dunklen Kinderaugen nicht wären, müßte ich dich für die abgefeimteste Dirne halten, die je einen Mann ins Verderben gestürzt hat.   30

LULU *(aufgeräumt).* Wollte Gott, ich wäre das! Komm heute
   mit über die Grenze. Dann können wir uns sehen, so oft
   wir wollen, und werden mehr Vergnügen als jetzt aneinander haben.

ALWA. Durch dieses Kleid empfinde ich deinen Wuchs wie   35
   eine Symphonie. Diese schmalen Knöchel, dieses Cantabi-

le; dieses entzückende Anschwellen; und diese Knie, dieses
Capriccio; und das gewaltige Andante der Wollust. – Wie
friedlich sich die beiden schlanken Rivalen in dem Bewußtsein aneinanderschmiegen, daß keiner dem andern an
5   Schönheit gleichkommt – bis die launische Gebieterin er-
wacht und die beiden Nebenbuhler wie zwei feindliche
Pole auseinanderweichen. Ich werde dein Lob singen, daß
dir die Sinne vergehn!

LULU *(lustig).* Derweil vergrabe ich meine Hände in deinem
10   Haar. *(Sie tut es.)* Aber hier stört man uns.

ALWA. Du hast mich um meinen Verstand gebracht!

LULU. Kommst du heute nicht mit?

ALWA. Der Alte fährt doch mit dir!

LULU. Der kommt nicht mehr zum Vorschein. – Ist das noch
15   der Diwan, auf dem sich dein Vater verblutet hat?

ALWA. Schweig – Schweig . . .

Zweiter Aufzug

Ein geräumiger Salon in weißer Stukkatur mit breiter Flügeltür in der Hinterwand. Zu beiden Seiten derselben hohe Spiegel. In beiden Seitenwänden je zwei Türen; dazwischen links eine Rokokokonsole mit weißer Marmorplatte, darüber Lulus Bild als Pierrot in schmalem 5 *Goldrahmen in der Wand eingelassen. In der Mitte des Salons ein schmächtiges, hellgepolstertes Sofa Louis XV. Breite hellgepolsterte Fauteuils mit dünnen Beinen und schmächtigen Armlehnen. Rechts vorn ein kleiner Tisch. Links hinten Entreetür. Die vordere Tür führt zum Speisezimmer. Die Mitteltür steht offen und läßt im Hinter-* 10 *zimmer einen breiten Bakkarattisch, von türkischen Polstersesseln umstellt, sehen.* ALWA SCHÖN, RODRIGO QUAST, *der Marquis* CASTI-PIANI, *Bankier* PUNTSCHU, *Journalist* HEILMANN, LULU, *die Gräfin* GESCHWITZ, MAGELONE, KADIDJA, BIANETTA, LUDMILLA STEINHERZ, *bewegen sich im Salon in lebhafter Kon-* 15 *versation.*
Die Herren sind in Gesellschaftstoilette. – LULU *trägt eine weiße Direktoirerobe mit mächtigen Ärmeln und einer vom oberen Taillensaum frei auf die Füße fallenden weißen Spitze; die Arme in weißen Glacés, das Haar hochfrisiert mit einem kleinen weißen Federbusch.* – 20 *Die* GESCHWITZ *in hellblauer, mit weißem Pelz verbrämter, mit Silberborten verschnürter Husarentaille. Weißer Schlips, enger Stehkragen und steife Manschetten mit riesigen Elfenbeinknöpfen.* – MAGELONE *in hellem regenbogenfarbigen Changeantkleid mit sehr breiten Ärmeln, langer schmaler Taille und drei Volants aus spiralförmig* 25 *gewundenen Rosabändern und Veilchenbuketts. Das Haar in der Mitte gescheitelt, tief über die Schläfen fallend, an den Seiten gelockt. Auf der Stirn ein Perlmutterschmuck, von einer feinen, unter das Haar gezogenen Kette gehalten.* – KADIDJA, *ihre Tochter, zwölf Jahre alt, in hellgrünen Atlasstiefeletten, die den Saum der weißseidenen Socken* 30 *freilassen; der Oberkörper in weißen Spitzen; hellgrüne, enganliegende Ärmel; perlgraue Glacés; offenes schwarzes Haar unter einem großen hellgrünen Spitzenhut mit weißen Federn.* – BIANETTA *in dunkelgrünem Samt; perlenbesetzter Göller, Blusenärmel, faltenreicher Rock ohne Taille, der untere Saum mit großen, in Silber gefaßten* 35 *falschen Topasen besetzt.* – LUDMILLA STEINHERZ *in einer grellen, blau und rot gestreiften Seebadtoilette.*

RODRIGO *(das volle Glas in der Hand).* Meine Herren und Damen – entschuldigen Sie mich – seien Sie bitte ruhig – ich trinke – gestatten Sie mir, daß ich trinke – denn es ist das Geburtstagsfest von unserer liebenswürdigen Wirtin – *(Lu-*

5 *lu am Arm nehmend)* der Gräfin Adelaide d'Oubra – verdammt und zugenäht! – Ich trinke also – – und so weiter meine Damen! *(Alle umringen Lulu und stoßen mit ihr an.)*

ALWA *(zu Rodrigo, ihm die Hand drückend).* Ich gratuliere dir.

RODRIGO. Ich schwitze wie ein Schweinebraten.

10 ALWA *(zu Lulu).* Laß uns sehen, ob im Spielzimmer alles in Ordnung ist. *(Beide ins Spielzimmer ab.)*

BIANETTA *(zu Rodrigo).* Eben erzählte man mir, mein Herr, Sie seien der stärkste Mann der Welt.

RODRIGO. Das bin ich, mein Fräulein. Darf ich Sie bitten,

15 über meine Kräfte zu verfügen.

MAGELONE. Ich liebe eigentlich mehr die Kunstschützen. Vor drei Monaten trat ein Kunstschütze im Kasino auf und jedesmal, wenn er Bumm machte, dann ging es bei mir so! *(Sie zuckte mit den Hüften.)*

20 GRAF CASTI-PIANI *(spricht während des ganzen Aktes in müdem gelangweilten Ton, zu Magelone).* Sag' mal, Teuerste, wie kommt das eigentlich, daß man deine *(auf Kadidja zeigend)* niedliche kleine Prinzessin heute zum erstenmal hier sieht?

MAGELONE. Findest du sie wirklich so entzückend? – Sie ist

25 noch im Kloster. Sie muß nächsten Montag wieder in der Schule sein.

KADIDJA. Wie sagst du, Mütterchen?

MAGELONE. Ich erzähle den Herren eben, daß du letzte Woche die erste Note in der Geometrie bekommen hast.

30 JOURNALIST HEILMANN. Was die für hübsches Haar hat!

CASTI-PIANI. Sehen Sie sich mal die Füße an! Die Art, wie die geht!

PUNTSCHU. Weiß Gott, die hat Rasse!

MAGELONE *(lächelnd).* Aber haben Sie doch Mitleid, meine

35 Herren; sie ist ja noch vollkommen Kind!

PUNTSCHU *(zu Magelone).* Das würde mich verdammt wenig

genieren! – *(Zu Heilmann.)* Zehn Jahre meines Lebens gebe
ich darum, wenn ich das gnädige Fräulein in die Zeremo-
nien unseres Geheimkultus einführen könnte!

MAGELONE. Dazu bekommen Sie meine Zustimmung aber
nicht für eine Million! Ich will nicht, daß man dem Kinde
seine Jugend verdirbt, wie man mir das getan hat!

CASTI-PIANI. Bekenntnisse einer schönen Seele! *(Zu Magelone.)*
Würdest du deine Einwilligung auch nicht für eine Garni-
tur echter Diamanten erteilen?

MAGELONE. Renommier' doch nicht! Du schenkst mir so
wenig echte Diamanten, wie meinem Kind! Das weißt du
selber am allerbesten!

(Kadidja geht ins Spielzimmer.)

DIE GESCHWITZ. Aber wird denn heute abend gar nicht gespielt?

LUDMILLA STEINHERZ. Aber selbstverständlich, Komtesse!
Ich rechne sogar sehr darauf.

BIANETTA. Dann wollen wir doch gleich unsere Plätze einneh-
men. Unsere Herren kommen dann schon nach.

DIE GESCHWITZ. Darf ich Sie bitten, mich nur noch eine
Sekunde zu entschuldigen. Ich habe noch ein Wort mit
meiner Freundin zu sprechen.

CASTI-PIANI *(Bianetta den Arm bietend).* Darf ich um die Ehre
bitten, Halbpart mit Ihnen zu spielen? Sie haben eine so
glückliche Hand!

LUDMILLA STEINHERZ. Nun geben Sie mir mal Ihren anderen
Arm und dann führen Sie uns in die Spielhölle!

(Casti-Piani mit den beiden Damen ins Spielzimmer ab.)

MAGELONE. Sagen Sie, Herr Puntschu, haben Sie vielleicht
noch einige Jungfrauaktien für mich?

PUNTSCHU. Jungfrauaktien? *(Zu Heilmann.)* Das verehrte
Fräulein meinen die Aktien der Drahtseilbahn auf die
Jungfrau. Die Jungfrau ist nämlich ein Berg, auf den man
eine Drahtseilbahn bauen will. *(Zu Magelone.)* Wissen Sie,
nur damit keine Verwechselungen entstehen. Wie leicht
wäre das in diesem erwählten Kreise möglich. – Ich habe

allerdings noch etwa viertausend Jungfrauaktien, aber die
möchte ich gerne für mich behalten. Es bietet sich nicht
sobald wieder Gelegenheit, sich unter der Hand ein kleines
Vermögen zu machen.

5 HEILMANN. Ich habe bis jetzt nur eine einzige von diesen
Jungfrauaktien. Ich möchte auch gern noch mehr haben.

PUNTSCHU. Ich will's versuchen, Herr Heilmann, Ihnen welche zu besorgen. Aber das sage ich Ihnen im voraus, Sie
zahlen Apothekerpreise dafür!

10 MAGELONE. Mir hat meine Wahrsagerin dazu geraten, daß ich
mich beizeiten umtat. Meine sämtlichen Ersparnisse bestehen jetzt aus Jungfrauaktien. Wenn das nicht glückt, Herr
Puntschu, dann kratz' ich Ihnen die Augen aus!

PUNTSCHU. Ich bin mir meiner Sache vollkommen sicher,
15 meine Teuerste.

ALWA *(der aus dem Spielzimmer zurückgekommen ist, zu Magelone).*
Ich kann Ihnen garantieren, daß Ihre Befürchtungen vollkommen unbegründet sind. Ich habe meine Jungfrauaktien
sehr teuer bezahlt und bedauere es keinen Augenblick. Sie
20 steigen ja von einem Tag auf den andern. So was ist noch
gar nicht dagewesen.

MAGELONE. Um so besser, wenn Sie recht haben. *(Puntschus
Arm nehmend.)* Kommen Sie, mein Freund! Jetzt wollen wir
unser Glück im Bakkarat versuchen!

25 *(Magelone, Puntschu, Alwa, Heilmann gehen ins Spielzimmer. –
Rodrigo und die Gräfin Geschwitz bleiben zurück.)*

RODRIGO *(kritzelt etwas auf einen Zettel und faltet ihn zusammen;
die Geschwitz bemerkend).* Hm, gräfliche Gnaden . . . *(Da die
Geschwitz zusammenzuckt.)* Seh' ich denn so gefährlich aus?
30 *(Für sich.)* Ich muß ein Bonmot machen. *(Laut.)* Darf ich mir
vielleicht etwas herausnehmen?

DIE GESCHWITZ. Scheren Sie sich zum Henker!

CASTI-PIANI *(Lulu in den Saal führend).* Sie erlauben mir nur
zwei Worte.

35 LULU *(während ihr Rodrigo unbemerkt seinen Zettel in die Hand
druckt).* Bitte, soviel Sie wollen.

RODRIGO. Ich habe die Ehre, mich zu empfehlen. *(Ins Spiel-*
zimmer ab.)

CASTI-PIANI *(zur Geschwitz).* Lassen Sie uns allein!

LULU *(zu Casti-Piani).* Habe ich Sie wieder durch irgend etwas
gekränkt?   5

CASTI-PIANI *(da sich die Geschwitz nicht vom Fleck rührt).* Sind Sie
taub?

(Die Geschwitz geht tief aufseufzend ins Spielzimmer ab.)

LULU. Sag' es nur gleich heraus, wieviel du haben willst.

CASTI-PIANI. Mit Geld kannst du mir nicht mehr dienen.   10

LULU. Wie kommst du auf den Gedanken, daß wir kein Geld
mehr haben?

CASTI-PIANI. Weil du mir gestern euren letzten Rest ausge-
händigt hast.

LULU. Wenn du dessen sicher bist, wird es ja wohl so sein.   15

CASTI-PIANI. Ihr seid auf dem Trocknen, du und dein Schriftsteller.

LULU. Wozu denn die vielen Worte? – Wenn du mich bei dir
haben willst, brauchst du mir nicht erst mit dem Henker-
beil zu drohen.   20

CASTI-PIANI. Das weiß ich. Ich habe dir aber schon mehrmals
gesagt, daß du gar nicht mein Fall bist. Ich habe dich nicht
ausgeraubt, weil du mich liebtest, sondern ich habe dich
geliebt, um dich ausrauben zu können. Bianetta ist mir von
oben bis unten angenehmer als du. Du stellst die ausge-   25
suchtesten Leckerbissen zusammen, und wenn man seine
Zeit verplempert hat, ist man hungriger als vorher. Du
liebst schon zu lang, auch für unsere hiesigen Verhältnisse.
Einem gesunden jungen Menschen ruinierst du nur das
Nervensystem. Um so vorteilhafter eignest du dich für die   30
Stellung, die ich dir ausgesucht habe.

LULU. Du bist verrückt! – Habe ich dich beauftragt, mir eine
Stellung zu verschaffen?

CASTI-PIANI. Ich sagte dir doch, daß ich Stellenvermittelungs-
agent bin.   35

LULU. Du sagtest mir, du seiest Polizeispion.

CASTI-PIANI. Davon allein kann man nicht leben. Ursprünglich war ich Stellenvermittlungsagent, bis ich über ein Pfarrerstöchterchen stolperte, dem ich eine Stellung in Valparaiso verschafft hatte. Das Herzblättchen hatte sich in seinen kindlichen Träumen das Leben noch berauschender vorgestellt als es ist und beklagte sich deshalb bei Mama. Darauf wurde ich festgesetzt. Durch charaktervolles Benehmen gewann ich mir aber rasch das Vertrauen der Kriminalpolizei. Mit einem Monatswechsel von hundertfünfzig Mark schickte man mich hierher, weil man wegen der ewigen Bombenattentate unser hiesiges Kontingent verdreifachte. Aber wer kommt hier mit hundertfünfzig Mark im Monat aus? – Meine Kollegen lassen sich von Weibern aushalten. Mir lag es natürlich näher, meinen früheren Beruf wieder aufzunehmen, und von den unzähligen Abenteurerinnen, die sich hier aus den besten Familien der ganzen Welt zusammenfinden, habe ich schon manches lebenshungrige junge Geschöpf an den Ort seiner natürlichen Bestimmung befördert.

LULU *(mit Entschiedenheit)*. Ich tauge nicht für diesen Beruf.

CASTI-PIANI. Deine Ansichten über diese Frage sind mir vollkommen gleichgültig. Die Staatsanwaltschaft bezahlt demjenigen, der die Mörderin des Doktor Schön der Polizei in die Hand liefert, tausend Mark. Ich brauche nur den Polizisten heraufzupfeifen, der unten an der Ecke steht, dann habe ich tausend Mark verdient. Dagegen bietet das Etablissement Oikonomopulos in Kairo sechzig Pfund für dich. Das sind zwölfhundert Mark, also zweihundert Mark mehr, als der Staatsanwalt bezahlt. Übrigens bin ich immerhin noch soweit Menschenfreund, um meinen Lieben lieber zum Glücke zu verhelfen, als daß ich sie ins Unglück stürze.

LULU *(wie oben)*. Das Leben in einem solchen Haus kann ein Weib von meinem Schlag nie und nimmer glücklich machen. Als ich fünfzehn Jahre alt war, hätte mir das gefallen können. Damals verzweifelte ich daran, daß ich jemals

glücklich werden würde. Ich kaufte mir einen Revolver
und lief nachts barfuß durch den tiefen Schnee über die
Brücke in die Anlagen, um mich zu erschießen. Dann lag
ich aber glücklicherweise drei Monate im Krankenhaus,
ohne einen Mann zu Gesicht zu bekommen. In jener Zeit   5
gingen mir die Augen über mich auf und ich erkannte mich.
In meinen Träumen sah ich Nacht für Nacht den Mann, für
den ich geschaffen bin und der für mich geschaffen ist. Und
als ich dann wieder auf die Männer losgelassen wurde, da
war ich keine dumme Gans mehr. Seither sehe ich es jedem   10
bei stockfinsterer Nacht auf hundert Schritt Entfernung
an, ob wir füreinander bestimmt sind. Und wenn ich mich
gegen meine Erkenntnis versündige, dann fühle ich mich
am nächsten Tage an Leib und Seele beschmutzt und brauche Wochen, um den Ekel, den ich vor mir empfinde, zu   15
überwinden. Und nun bildest du dir ein, ich werde mich
jedem Lumpenkerl hingeben!

CASTI-PIANI. Lumpenkerle verkehren bei Oikonomopulos in
Kairo nicht. Seine Kundschaft setzt sich aus schottischen
Lords, aus russischen Würdenträgern, indischen Gouver-   20
neuren und unseren flotten rheinischen Großindustriellen
zusammen. Ich muß nur dafür garantieren, daß du Franzö-
sisch sprichst. Bei deinem eminenten Sprachtalent wirst du
übrigens auch rasch genug so viel Englisch lernen, wie du
zu deiner Tätigkeit nötig hast. Dabei residierst du in einem 25
fürstlich ausgestatteten Appartement mit dem Ausblick auf
die Minaretts der El Azhar-Moschee, wandelst den ganzen
Tag auf faustdicken persischen Teppichen, kleidest dich
jeden Abend in eine märchenhafte Pariser Balltoilette,
trinkst so viel Sekt, wie deine Kunden bezahlen können;   30
und schließlich bleibst du ja auch bis zu einem gewissen
Grad deine eigene Herrin. Wenn dir der Mann nicht gefällt, dann brauchst du ihm keinerlei Empfindung ent-
gegenzubringen. Du läßt ihn seine Karte abgeben und
damit holla! Wenn sich die Damen darauf nicht einübten,   35
dann wäre die ganze Sache überhaupt unmöglich, weil jede

nach den ersten vier Wochen mit Sturmschritt zum Teufel
ginge.

LULU *(mit zitternder Stimme)*. Ich glaube wirklich, seit gestern
ist in deinem Gehirn irgend etwas nicht mehr, wie es sein
soll! Soll ich mir einreden lassen, daß der Ägypter für eine
Person, die er gar nicht kennt, fünfhundert Francs bezahlt?

CASTI-PIANI. Ich habe mir erlaubt, ihm deine Bilder zu
schicken!

LULU. Die Bilder hast du ihm geschickt, die i c h dir gab?

CASTI-PIANI. Du siehst, daß er sie besser zu würdigen weiß als
ich. Das Bild, auf dem du als Eva vor dem Spiegel stehst,
wird er, wenn du dort bist, wohl unter der Haustür aufhängen. Dann kommt für dich noch eins in Betracht. Bei
Oikonomopulos in Kairo bist du vor deinen Henkern
sicherer, als wenn du dich in einen kanadischen Urwald
verkriechst. Man überführt so leicht keine ägyptische Kur-
tisane in ein deutsches Gefängnis, erstens schon aus Spar-
samkeitsrücksichten und zweitens aus Furcht, man könnte
dadurch der ewigen Gerechtigkeit zu nahe treten.

LULU *(stolz, mit heller Stimme)*. Was schert mich eure ewige
Gerechtigkeit! Du kannst dir an deinen fünf Fingern ab-
zählen, daß ich mich nicht in ein solches Vergnügungslokal
sperren lasse.

CASTI-PIANI. Dann erlaubst du, daß ich den Polizisten herauf-
pfeife?

LULU *(verwundert)*. Warum bittest du mich nicht einfach um
zwölfhundert Mark, wenn du das Geld nötig hast?

CASTI-PIANI. Ich habe gar kein Geld nötig! – Übrigens bitte
ich dich deshalb nicht darum, weil du auf dem Trocknen
bist.

LULU. Wir haben noch dreißigtausend Mark.

CASTI-PIANI. In Jungfrauaktien! Ich habe mich nie mit Aktien
abgegeben. Der Staatsanwalt bezahlt in deutscher Reichs-
währung und Oikonomopulos zahlt in englischem Gold.
Du kannst morgen früh an Bord sein. Die Überfahrt dauert
nicht viel mehr als fünf Tage. In spätestens vierzehn Tagen

bist du in Sicherheit. Hier stehst du dem Gefängnis näher
als irgendwo. Es ist ein Wunder, das ich als Geheimpolizist
nicht verstehe, daß ihr ein volles Jahr unbehelligt habt leben können. Aber so gut wie ich euren Antezedenzien auf
die Spur kam, kann bei deinem starken Verbrauch an Män-   5
nern jeden Tag einer meiner Kollegen die glückliche Ent-
deckung machen. Dann darf ich mir den Mund wischen
und du verbringst deine genußfähigsten Lebensjahre im
Zuchthaus. Willst du dich, bitte, gleich entscheiden. Um
halb ein Uhr fährt der Zug. Sind wir bis elf Uhr nicht   10
handelseinig, dann pfeife ich den Polizisten herauf. An-
dernfalls packe ich dich, so wie du dastehst, in einen Wagen, fahre dich nach dem Bahnhof und begleite dich morgen abend aufs Schiff.

LULU. Es kann dir damit doch unmöglich ernst sein?   15

CASTI-PIANI. Begreifst du denn nicht, daß es mir nur um deine
leibliche Rettung zu tun ist?

LULU. Ich gehe mit dir nach Amerika, nach China; aber ich
kann mich selbst nicht verkaufen lassen! Das ist schlimmer
als Gefängnis.   20

CASTI-PIANI. Lies einmal diesen Herzenserguß! *(Er zieht einen
Brief aus der Tasche.)* Ich werde ihn dir vorlesen. Hier ist der
Poststempel »Kairo«, damit du nicht glaubst, ich arbeite
mit gefälschten Dokumenten. Das Mädchen ist Berlinerin,
war zwei Jahre verheiratet, und das mit einem Mann, um   25
den du sie beneidet hättest, einem ehemaligen Kameraden
von mir. Er reist jetzt in Diensten einer Hamburger Kolo-
nialgesellschaft.

LULU *(munter)*. Dann b e s u c h t er seine Frau ja vielleicht
gelegentlich?   30

CASTI-PIANI. Das ist nicht ausgeschlossen. Aber höre diesen
impulsiven Ausdruck ihrer Gefühle! Mein Mädchenhandel
erscheint mir durchaus nicht ehrenvoller als ihn der erste
beste Richter taxieren würde; aber solch ein Freudenschrei
läßt mich für den Augenblick eine gewisse sittliche Genug-   35
tuung empfinden. Ich bin stolz darauf, mein Geld damit zu

verdienen, daß ich das Glück mit vollen Händen ausstreue.
(Er liest.) »Lieber Herr Meier!« – So heiße ich als Mädchen-
händler. – »Wenn Sie nach Berlin kommen, gehen Sie bitte
sofort in das Konservatorium an der Potsdamer Straße und
fragen Sie nach Gusti von Rosenkron – das schönste Weib,
das ich je in Natur gesehen habe; entzückende Hände und
Füße, von Natur schmale Taille, gerader Rücken, strot-
zender Körper, große Augen und Stumpfnase – ganz so,
wie Sie es bevorzugen. Ich habe ihr schon geschrieben. Mit
der Singerei hat sie keine Aussicht. Die Mutter hat keinen
Pfennig. Leider schon zweiundzwanzig, aber verschmach-
tend nach Liebe. Kann nicht heiraten, weil vollkommen
mittellos. Habe mit Madame gesprochen. Man nimmt mit
Vergnügen noch eine Deutsche, wenn gut erzogen und
musikalisch. Italienerinnen und Französinnen können mit
uns nicht wetteifern, weil zu wenig Bildung. Wenn Sie
Fritz sehen sollten . . .« – Fritz ist der Mann; er läßt sich
natürlich scheiden – ». . . dann sagen Sie ihm, alles war
Langeweile. Er wußte es nicht besser, ich wußte es auch
nicht . . .« Jetzt folgt die genauere Aufzählung . . .

LULU *(verhetzt)*. Ich kann nicht das Einzige verkaufen, das je
mein eigen war.

CASTI-PIANI. Laß mich doch weiter lesen!

LULU *(wie oben)*. Ich liefere dir heute abend noch unser ganzes
Vermögen aus.

CASTI-PIANI. Glaub' mir doch um Gottes willen, daß ich
euren letzten Heller schon bekommen habe. Wenn wir
nicht bis elf Uhr das Haus verlassen haben, dann transpor-
tiert man dich morgen mit deiner Sippschaft per Schub
nach Deutschland.

LULU. Du kannst mich nicht ausliefern!

CASTI-PIANI. Meinst du, das wäre das Schlimmste, was ich in
meinem Leben gekonnt habe?! Ich muß für den Fall, daß
wir heute nacht fahren, nur rasch noch ein Wort mit Bianetta reden.

(Casti-Piani geht ins Spielzimmer, die Tür hinter sich auflassend.

Lulu starrt vor sich hin, das Billett, das ihr Rodrigo zusteckte und
das sie während des ganzen Gespräches zwischen den Fingern hielt,
mechanisch zerknitternd. Alwa erhebt sich hinter dem Spieltisch,
ein Wertpapier in der Hand, und kommt in den Salon.

ALWA *(zu Lulu).* Brillant! Es geht brillant! Die Geschwitz setzt   5
eben ihr letztes Hemd. Puntschu hat mir noch zehn Jungfrauaktien versprochen. Die Steinherz macht ihre kleinen
Profitchen. *(Er geht nach rechts vorne ab.)*

LULU *(allein).* Ich in ein Bordell? — — *(Sie liest den Zettel, den sie in*
der Hand hält, und lacht wie toll.)   10

ALWA *(kommt von rechts vorn zurück, eine Kassette in der Hand).*
Machst du denn nicht mit?

LULU. Gewiß, gewiß. Warum nicht!

ALWA. Apropos, im »Berliner Tageblatt« steht heute, daß sich
der Alfred Hugenberg im Gefängnis ins Treppenhaus hin-   15
untergestürzt hat.

LULU. Ist denn der auch im Gefängnis?

ALWA. Nur in einer Art von Preventivhaft.

(Alwa geht ins Spielzimmer ab. Lulu will ihm folgen. In der Tür
tritt ihr die Gräfin Geschwitz entgegen.)   20

DIE GESCHWITZ. Du gehst, weil ich komme?

LULU *(entschlossen).* Weiß Gott, nein. Aber wenn du kommst,
dann gehe ich.

DIE GESCHWITZ. Du hast mich um alles betrogen, was ich an
Glücksgütern auf dieser Welt noch besaß. Du könntest in   25
deinem Verkehr mit mir zum allerwenigsten die äußerli-
chen Anstandsformen wahren.

LULU *(wie oben).* Ich bin gegen dich so anständig, wie gegen
jede andere Frau. Ich bitte dich nur, es auch mir gegenüber
zu sein.   30

DIE GESCHWITZ. Hast du die leidenschaftlichen Beteuerungen
vergessen, durch die du mich, während wir zusammen im
Krankenhaus lagen, dazu verführtest, daß ich mich für dich
ins Gefängnis sperren ließ?

LULU. Wozu hast du mir denn vorher die Cholera ange-   35
hängt?! Ich habe während des Prozesses noch ganz andere

Dinge beschworen, als was ich dir versprechen mußte.
Mich schüttelt das Entsetzen bei dem Gedanken, daß das
jemals Wirklichkeit werden sollte!

DIE GESCHWITZ. Dann betrogst du mich also mit vollem Bewußtsein?!

LULU (*munter*). Um was bist du denn betrogen? Deine körper-
lichen Vorzüge haben hier einen so begeisterten Bewunde-
rer gefunden, daß ich mich frage, ob ich nicht noch einmal
Klavierunterricht geben muß, um mein Dasein zu fristen.
Kein siebzehnjähriges Kind macht einen Mann liebestoller,
als du Ungeheuer den braven Kerl durch deine Widerspen-
stigkeit machst!

DIE GESCHWITZ. Von wem sprichst du? Ich verstehe kein
Wort.

LULU (*wie oben*). Ich spreche von deinem Kunstturner, von
Rodrigo Quast. Er ist Athlet; er balanciert zwei gesattelte
Kavalleriepferde auf seinem Brustkasten. Kann sich eine
Frau etwas Herrlicheres wünschen? Er sagte mir eben
noch, daß er diese Nacht ins Wasser springe, wenn du dich
seiner nicht erbarmst.

DIE GESCHWITZ. Ich beneide dich nicht um deine Geschicklichkeit, die hilflosen Opfer, die dir durch unerforschliche
Bestimmung überantwortet sind, zu martern. Ich kann
dich überhaupt nicht beneiden. Ein Bedauern, wie ich es
mit dir fühle, hat mir mein eigener Jammer noch nicht
abgerungen. Ich fühle mich frei wie ein Gott bei dem Gedanken, welcher Kreaturen Sklavin du bist!

LULU. Von wem sprichst du denn?

DIE GESCHWITZ. Ich spreche von Casti-Piani, dem die ver-
worfenste Niederträchtigkeit in lebenden Buchstaben auf
der Stirn geschrieben steht.

LULU. Schweig! Ich gebe dir Tritte in den Leib, wenn du
schlecht von dem Jungen sprichst. Er liebt mich mit einer
Aufrichtigkeit, gegen die deine abenteuerlichsten Aufopfe-
rungen eine Bettelei sind. Er gibt mir Beweise von Selbstverleugnung, die mir dich erst in deiner ganzen Abscheu-

lichkeit zeigen. Du bist im Leib deiner Mutter nicht fertig
geworden, weder als Weib noch als Mann. Du bist kein
Menschenkind wie wir andern. Für einen Mann war der
Stoff nicht ausreichend und zum Weib hast du zu viel Hirn
in deinen Schädel bekommen. Deshalb bist du verrückt! 5
Wende dich an Fräulein Bianetta. Die ist gegen Bezahlung
zu allem zu haben. Drück ihr ein Goldstück in die Hand,
dann gehört sie dir.

(Bianetta, Magelone, Ludmilla Steinherz, Rodrigo, Casti-Piani,
Puntschu, Heilmann und Alwa kommen aus dem Spielzimmer in 10
den Salon.)

LULU. Um Gottes willen, was ist passiert?

PUNTSCHU. Aber nicht das geringste! Wir haben Durst; das ist
alles!

MAGELONE. Alle Welt hat gewonnen; es ist nicht zu glauben! 15

BIANETTA. Mir scheint, ich habe ein ganzes Vermögen gewonnen!

LUDMILLA STEINHERZ. Rühmen Sie sich dessen nicht, mein
Kind! Das bringt kein Glück.

MAGELONE. Aber die Bank hat ja auch gewonnen! Wie ist das 20
nur möglich!

ALWA. Es ist ganz pyramidal, wo all das Geld herkommt!

CASTI-PIANI. Fragen wir nicht danach! Genug, daß man den
Champagner nicht zu sparen braucht!

HEILMANN. Ich kann mir nachher wenigstens ein Abendessen 25
in einem anständigen Restaurant bezahlen!

ALWA. Zum Büfett, meine Damen! Kommen Sie zum Büfett.
(Die ganze Gesellschaft begibt sich ins Speisezimmer. – Lulu wird
von Rodrigo zurückgehalten.)

RODRIGO. Einen Moment, mein Herz. – Hast du meinen 30
Liebesbrief gelesen?

LULU. Droh' mir mit Anzeigen, soviel du Lust hast! Ich habe
das Geld nicht mehr zwanzigtausendweis zur Verfügung.

RODRIGO. Lüg' mich nicht an, du Dirne! Ihr habt noch vier-
zigtausend in Jungfrauaktien; dein sogenannter Gatte hat 35
eben selbst noch damit geprahlt!

LULU. Dann wende dich mit deinen Erpressungen doch an ihn! Mir ist es egal, was er mit seinem Gelde tut.

RODRIGO. Ich danke dir! Bei dem Hornochsen brauche ich zweimal vierundzwanzig Stunden, bis er begreift, wovon die Rede ist. Und dann kommen seine Auseinandersetzungen, denen gegenüber einem sterbensübel wird. Derweil schreibt mir meine Braut: »Aus ist es!« und ich kann den Leierkasten umhängen.

LULU. Hast du dich denn hier verlobt?

RODRIGO. Ich hätte dich wohl erst um Erlaubnis fragen sollen? Was war hier mein Dank dafür, daß ich dich auf Kosten meiner Gesundheit aus dem Gefängnis befreit habe? – Ihr habt mich preisgegeben! Ich hätte Packträger werden können, wenn mich dieses Mädchen nicht aufgenommen hätte. Bei meinem Auftreten warf man mir gleich am ersten Abend einen Samtfauteuil an den Kopf. Diese Nation ist zu heruntergekommen, um noch gediegene Kraftleistungen zu würdigen. Wäre ich ein boxendes Känguruh, dann hätten sie mich interviewt und in allen Zeitungen abgebildet. Gott sei Dank hatte ich schon die Bekanntschaft meiner Cölestine gemacht. Sie hat die Ersparnisse zwanzigjähriger Arbeit auf der Staatsbank deponiert. Dabei liebt sie mich um meiner selbst willen. Sie geht nicht wie du nur auf Gemeinheiten aus. Sie hat drei Kinder von einem amerikanischen Bischof, die alle zu den schönsten Hoffnungen berechtigen. Übermorgen früh werden wir uns standesamtlich trauen lassen.

LULU. Meinen Segen hast du dazu.

RODRIGO. Dein Segen kann mir gestohlen werden! Ich habe meiner Braut gesagt, ich hätte zwanzigtausend in Wertpapieren auf der Bank liegen.

LULU (*vergnügt*). Dabei prahlt der Kerl noch, daß ihn die Person um seiner selbst willen liebt!

RODRIGO. Meine Cölestine verehrt den Gemütsmensch in mir, und nicht den Kraftmenschen, wie du das getan hast und all die anderen. Das ist jetzt überstanden! Erst rissen

sie einem die Kleider vom Leib und dann wälzten sie sich
mit der Kammerjungfer herum. Ich will ein Totengerippe
sein, wenn ich mich noch jemals auf solche Belustigungen
einlasse!

LULU. Warum zum Henker verfolgst du denn eigentlich die
unglückliche Geschwitz mit deinen Anträgen?

RODRIGO. Weil das Frauenzimmer von Adel ist. Ich bin
Weltmann und verstehe mich besser als irgendeiner von
euch auf den vornehmen Konversationston. – Aber jetzt
hängt mir das Gespräch zum Halse heraus. Wirst du mir
bis morgen abend das Geld verschaffen oder nicht?

LULU. Ich habe kein Geld.

RODRIGO. Ich will Hühnerdreck im Kopf haben, wenn ich
mich damit abspeisen lasse! Er gibt dir den letzten Pfennig,
den er hat, wenn du nur einmal deine verdammte Pflicht
und Schuldigkeit tust! Du hast den armen Jungen hierher
gelockt, und jetzt kann er sehen, wo er ein passendes Engagement für seine Kenntnisse auftreibt.

LULU. Was schert es dich, ob er das Geld mit Weibern oder
am Spieltisch vertut?!

RODRIGO. Wollt ihr denn mit Gewalt den letzten Pfennig,
den sich sein Vater an der Zeitung verdient hat, diesem
wildfremden Pack in den Rachen jagen?! Du machst vier
Menschen glücklich, wenn du fünf gerade sein läßt und
dich einem wohltätigen Zweck opferst! Muß es denn immer und immer nur Casti-Piani sein!

LULU *(munter)*. Soll ich ihn vielleicht bitten, daß er dir die
Treppe hinunter leuchtet?

RODRIGO. Wie Sie wünschen, Frau Gräfin! Wenn ich bis
morgen abend die zwanzigtausend Mark nicht habe, dann
erstatte ich Anzeige bei der Polizei und eure Hofhaltung
hat ein Ende. – Auf Wiedersehen!

(Journalist Heilmann kommt atemlos von rechts hinten.)

LULU. Sie suchen Fräulein Magelone? – Sie ist nicht hier.

HEILMANN. Nein, ich suche etwas anderes.

RODRIGO *(ihm die gegenüberliegende Entreetür weisend).* Die zweite Tür links, bitte.

LULU *(zu Rodrigo).* Hast du das bei deiner Braut gelernt?

HEILMANN *(stößt in der Entreetür auf Bankier Puntschu).* Pardon,
5 mein Engel!

PUNTSCHU. Ach, Sie sind's! Fräulein Magelone erwartet Sie im Lift.

HEILMANN. Fahren Sie doch bitte mit ihr hinauf. Ich bin gleich zurück.

10 *(Eilt durch die Entreetür ab. Lulu geht ins Speisezimmer; Rodrigo folgt ihr.)*

PUNTSCHU *(allein).* Ist das eine Hitze! – – Schneid' ich dir die Ohren nicht ab, schneidst du sie mir! – – Kann ich nicht vermieten mein Josaphat, muß ich mir helfen mit meinem
15 Verstand! – Wird er nicht runzlig, mein Verstand; wird er nicht unpäßlich; braucht er nicht zu baden in Eau de Cologne.

(Bob, ein Groom in rotem Jackett, prallen Lederhosen und blinkenden Stulpstiefeln, fünfzehn Jahr alt, überbringt ein Telegramm.)

20 BOB. Herrn Bankier Puntschu!

PUNTSCHU *(erbricht das Telegramm und murmelt).* »Jungfrau-Drahtseilbahn-Aktien gefallen auf . . .« – Ja, ja, so ist die Welt –! *(Zu Bob.)* Warte! *(Gibt ihm ein Trinkgeld.)* Sag mal – wie heißt du eigentlich?

25 BOB. Ich heiße eigentlich Fredy, aber man nennt mich Bob, weil das jetzt Mode ist.

PUNTSCHU. Wie alt bist du denn?

BOB. Fünfzehn.

KADIDJA *(tritt zögernd aus dem Speisezimmer ein).* Entschuldigen
30 Sie, können Sie mir nicht sagen, ob Mama nicht hier ist?

PUNTSCHU. Nein, mein Kind. – *(Für sich.)* Zum Teufel, die hat Rasse!

KADIDJA. Ich suche sie überall; ich kann sie gar nirgends finden.

35 PUNTSCHU. Deine Mama kommt schon wieder zum Vorschein; so wahr ich Puntschu heiße! – – *(Auf Bob sehend.)*

Und das Paar Kniehosen! – – Gott der Gerechte! – – Es
wird einem unheimlich! *(Nach rechts hinten ab.)*

KADIDJA *(zu Bob)*. Haben Sie nicht vielleicht meine Mama
gesehen?

BOB. Nein, aber Sie brauchen nur mit mir zu kommen.   5

KADIDJA. Wo ist sie denn?

BOB. Sie ist im Lift hinaufgefahren. Kommen Sie nur!

KADIDJA. Nein, nein, ich fahre nicht mit hinauf.

BOB. Wir können uns oben auf dem Korridor verstecken.

KADIDJA. Nein, nein – ich komme nicht, sonst krieg' ich   10
Schelte.

*(Magelone stürzt in heilloser Aufregung durch die Entreetür herein
und bemächtigt sich Kadidjas.)*

MAGELONE. Ha, da bist du ja endlich, du gemeines Geschöpf!

KADIDJA *(heulend)*. O Mama, Mama, ich habe dich gesucht!   15

MAGELONE. Du hast mich gesucht?! Hab' ich dich geheißen,
mich zu suchen?! Was hast du mit diesem Mannsbild gehabt?

*(Heilmann, Alwa, Ludmilla Steinherz, Puntschu, die Gräfin Ge-
schwitz und Lulu treten aus dem Speisezimmer ein. – Bob hat sich*   20
gedrückt.)

MAGELONE *(zu Kadidja)*. Daß du mir den Leuten nichts vor-
heulst! das sag' ich dir!

(Alle umringen Kadidja.)

LULU. Aber du weinst ja, mein süßes Herzblatt! Warum   25
weinst du denn?

PUNTSCHU. Weiß Gott, sie hat wahrhaftig geweint! Wer hat
dir denn was zuleide getan, du kleine Göttin!

LUDMILLA STEINHERZ *(kniet vor ihr nieder und schließt sie in die
Arme)*. Sag' mir, mein Engelsgeschöpfchen, was es Schlim-   30
mes gegeben hat. Willst du Kuchen? Willst du Schokolade?

MAGELONE. Das sind die Nerven. Das kommt viel zu früh bei
dem Kind. Das beste wäre jedenfalls, man achtete gar nicht
darauf!

PUNTSCHU. Das sieht Ihnen ähnlich! Sie sind eine Rabenmut-   35
ter! Das Gericht wird Ihnen das Kind noch fortnehmen

und mich zu seinem Vormund bestellen! *(Kadidja die Wangen streichelnd.)* Nicht wahr, meine kleine Göttin?

DIE GESCHWITZ. Ich wäre froh, wenn man endlich wieder mit Bakkarat anfinge?

(Die Gesellschaft begibt sich ins Speisezimmer; Lulu wird an der Tür von Bob zurückgehalten, der ihr etwas zuflüstert.)

LULU. Gewiß! Laß ihn nur eintreten!

(Bob öffnet die Tür zum Korridor und läßt SCHIGOLCH eintreten. Schigolch trägt Frack, weiße Halsbinde, schiefgetretene Lackstiefel und einen schäbigen Klapphut, den er aufbehält.)

SCHIGOLCH *(mit einem Blick auf Bob)*. Wo hast du den her?

LULU. Aus dem Zirkus.

SCHIGOLCH. Wieviel Lohn bekommt er?

LULU. Frag ihn, wenn es dich interessiert. *(Zu Bob.)* Schließ die Türe.

(Bob geht ins Speisezimmer und schließt die Tür hinter sich.)

SCHIGOLCH *(sich setzend)*. Ich brauche nämlich notwendig Geld. Ich habe meiner Geliebten eine Wohnung gemietet.

LULU. Hast du dir hier auch noch eine Geliebte genommen?

SCHIGOLCH. Sie ist Frankfurterin. In ihrer Jugend war sie die Frau des Königs von Neapel. Sie sagt mir jeden Tag, daß sie früher einmal sehr bestrickend gewesen sei.

LULU *(scheinbar in vollkommenster Ruhe)*. Braucht sie das Geld sehr nötig?

SCHIGOLCH. Sie will sich eine eigene Wohnung einrichten. Solche Summen spielen doch bei dir keine Rolle.

LULU *(plötzlich von einem Weinkrampf überwältigt, stürzt Schigolch zu Füßen)*. O du allmächtiger Gott!

SCHIGOLCH *(sie streichelnd)*. Nun? – Was gibt es denn wieder?

LULU *(schluchzt krampfhaft)*. Es ist zu grauenhaft!

SCHIGOLCH *(zieht sie auf seine Knie und hält sie wie ein kleines Kind in den Armen)*. Hm – du übernimmst dich, mein Kind. – Du mußt dich ausnahmsweise mal mit einem Roman zu Bett legen. – Weine nur; weine dich nur recht aus. – So hat es dich auch schon vor fünfzehn Jahren geschüttelt. Es hat

seitdem kein Mensch mehr so geschrien, wie du damals
hast schreien können. – Damals trugst du noch keinen weißen Federbusch auf dem Kopf und hattest auch keine
durchsichtigen Strümpfe an. Du hattest weder Stiefel noch
Strümpfe an deinen Beinen.   5

LULU *(heulend)*. Nimm mich mit dir nach Haus! Nimm mich
diese Nacht mit zu dir! Ich bitte dich! Wir finden unten
Wagen genug!

SCHIGOLCH. Ich nehme dich mit; ich nehme dich mit. – Was
gibt es denn?   10

LULU. Es geht um meinen Hals! Man zeigt mich an!

SCHIGOLCH. Wer? Wer zeigt dich an?

LULU. Der Springfritze.

SCHIGOLCH *(mit größter Seelenruhe)*. Dem besorg' ich es!

LULU *(flehentlich)*. Besorg' es ihm! Ich bitte dich, besorg' es 15
ihm! Dann tu' mit mir, was du willst!

SCHIGOLCH. Wenn er zu mir kommt, ist er abgetan. Mein
Fenster geht aufs Wasser. – Aber, *(den Kopf schüttelnd)* er
kommt nicht, er kommt nicht.

LULU. Welche Nummer wohnst du?   20

SCHIGOLCH. 376, das letzte Haus vor dem Hippodrom.

LULU. Ich schicke ihn hin. Er kommt mit der verrückten
Person, die mir um die Füße kriecht; er kommt noch heute
abend. Geh nach Hause, damit sie es behaglich finden.

SCHIGOLCH. Laß sie nur kommen.   25

LULU. Morgen bring mir seine goldenen Ringe, die er in den
Ohren trägt.

SCHIGOLCH. Hat er Ringe in den Ohren?

LULU. Du kannst sie herausnehmen, bevor du ihn hinunter-
läßt. Er merkt nichts davon, wenn er betrunken ist.   30

SCHIGOLCH. Und dann, mein Kind? Was dann?

LULU. Dann gebe ich dir das Geld für deine Geliebte.

SCHIGOLCH. Das nenne ich aber geizig.

LULU. Was du sonst noch magst! Was ich habe!

SCHIGOLCH. Bald sind es zehn Jahre, daß wir uns nicht mehr 35
kennen.

LULU. Wenn es weiter nichts ist? Aber du hast doch eine
Geliebte.

SCHIGOLCH. Meine Frankfurterin ist nicht mehr von heute.

LULU. Aber dann schwöre!

5 SCHIGOLCH. Aber habe ich dir je nicht Wort gehalten?

LULU. Schwöre, daß du es ihm besorgst!

SCHIGOLCH. Ich besorge es ihm.

LULU. Schwöre es mir! Schwöre es mir!

SCHIGOLCH *(legt seine Hand an ihren Fußknöchel).* – Bei allem,
10 was heilig ist! – Heute nacht, wenn er kommt. –

LULU. Bei allem, was heilig ist! – – Wie das kühlt!

SCHIGOLCH. Wie das glüht!

LULU. Fahre nur gleich nach Haus. Sie kommen in einer halben Stunde! Nimm einen Wagen!

15 SCHIGOLCH. Ich gehe schon.

LULU. Rasch! Ich bitte dich! – – – Allmächtiger . . .

SCHIGOLCH. Was starrst du mich jetzt schon wieder so an?

LULU. Nichts . . .

SCHIGOLCH. Nun? – Ist dir deine Zunge angefroren?

20 LULU. Mein Strumpfband ist aufgegangen . . .

SCHIGOLCH. Wenn schon! Was weiter?

LULU. Was bedeutet das?

SCHIGOLCH. Was das bedeutet? Ich binde es dir, wenn du still
hältst.

25 LULU. Das bedeutet ein Unglück!

SCHIGOLCH *(gähnend).* Nicht für dich, mein Kind. Sei getrost,
ich besorg’ es ihm. – *(Ab.)*

*Lulu setzt den linken Fuß auf einen Schemel, bindet ihr Strumpf-
band und geht ins Spielzimmer ab. – Rodrigo wird von Casti-Piani*
30 *aus dem Speisezimmer in den Salon gepufft.)*

RODRIGO. Behandeln Sie mich doch wenigstens anständig!

CASTI-PIANI *(vollkommen apathisch).* Was könnte mich denn
dazu veranlassen?! Ich will wissen, was Sie vorhin mit der
Frau hier gesprochen haben!

35 RODRIGO. Dann können Sie mich gern haben!

CASTI-PIANI. Willst du Hund mir Rede und Antwort stehn!

Du hast von ihr verlangt, sie soll mit dir im Lift hinauf-
fahren!

RODRIGO. Das ist eine unverschämte perfide Lüge!

CASTI-PIANI. Sie erzählte es mir selbst! Du hast ihr gedroht,
sie zu denunzieren, wenn sie nicht mit dir kommt! Soll ich   5
dich über den Haufen schießen?

RODRIGO. Die schamlose Person! – Als könnte mir so etwas
einfallen! – Wenn ich sie selber haben will, brauche ich ihr,
weiß Gott im Himmel, nicht erst mit Gefängnis zu drohen!

CASTI-PIANI. Danke schön. Weiter wollte ich nichts wissen.   10
(Durch die Entreetür ab.)

RODRIGO. So ein Hund! – Ein Kerl, den ich an die Decke
werfe, daß er kleben bleibt, wie ein Limburger Käse! – –
Komm her, wenn ich dir die Därme um den Hals wickeln
soll! – – Das wäre noch schöner!   15

LULU *(kommt aus dem Speisezimmer, lustig).* Wo bleibst denn du?
– Man muß dich suchen wie eine Stecknadel.

RODRIGO. Dem habe ich gezeigt, was es heißt, mit mir anzufangen!

LULU. Wem denn?   20

RODRIGO. Deinem Casti-Piani! Wie kannst du Dirne dem
Kerl erzählen, ich hätte dich verführen wollen?!

LULU. Hast du nicht von mir verlangt, daß ich mich für zwanzigtausend in Jungfrauaktien dem Sohn meines verstorbe-
nen Mannes hingebe?!   25

RODRIGO. Weil es deine Pflicht ist, dich des armen Jungen zu
erbarmen! Du hast ihm seinen Vater in den schönsten Le-
bensjahren vor der Nase weggeschossen! Aber dein Casti-
Piani überlegt es sich, bevor er mir wieder unter die Augen
kommt. Dem gebe ich eins vor den Bauch, daß ihm die   30
Kaldaunen wie Leuchtkugeln zum Himmel fliegen. Wenn
du keinen besseren Ersatz für mich hast, dann bedaure ich,
jemals deine Gunst besessen zu haben!

LULU. Die Geschwitz hat die fürchterlichsten Zustände. Sie
windet sich in Krämpfen. Sie ist imstande und springt ins   35
Wasser, wenn du sie noch länger warten läßt.

RODRIGO. Worauf wartet das Vieh denn?

LULU. Auf dich, daß du sie mitnimmst.

RODRIGO. Dann sag' ihr, ich lasse sie grüßen, und sie soll ins Wasser springen.

5 LULU. Sie leiht mir zwanzigtausend Mark, um mich vor dem Verderben zu retten, wenn du sie selber davor bewahrst. Wenn du sie heute mit dir nimmst, deponiere ich morgen zwanzigtausend Mark für dich auf irgendeiner Bank.

RODRIGO. Und wenn ich sie nicht mitnehme?

10 LULU. Dann zeig' mich an! Alwa und ich sind auf dem Trokkenen.

RODRIGO. Himmel, Tod und Wolkenbruch!

LULU. Du machst vier Menschen glücklich, wenn du fünfe gerad sein läßt und dich einem wohltätigen Zweck opferst.

15 RODRIGO. Das wird nicht gelin; ich weiß es im voraus. Ich habe das jetzt genug ausprobiert. Wer rechnet bei dem Knochengerüste auch auf solch ein ehrliches Gemüt! Was die Person für mich hatte, war der Umstand, daß sie Aristokratin ist. Mein Benehmen war so gentlemanlike, wie

20 man es bei deutschen Artisten überhaupt nicht findet. Hätte ich sie nur jemals in die Waden gekniffen!

LULU *(lauernd)*. Sie ist noch Jungfrau.

RODRIGO *(seufzend)*. Wenn es einen Gott im Himmel gibt, dann werden dir deine Witze noch einmal heimgezahlt!

25 Das prophezeie ich dir!

LULU. Die Geschwitz wartet. Was soll ich ihr sagen?

RODRIGO. Meine ergebenste Empfehlung und ich sei pervers.

LULU. Das werde ich ausrichten.

RODRIGO. Warte noch! – Ist es sicher, daß ich zwanzigtau-

30 send Mark von ihr erhalte?

LULU. Frag' sie selbst!

RODRIGO. Dann sag' ihr, ich sei bereit. Ich erwarte sie im Speisezimmer. Ich muß nur erst noch eine Tonne Kaviar versorgen.

35 *(Rodrigo geht ins Speisezimmer. Lulu öffnet die Tür zum Spielzim-*

mer und ruft mit heller Stimme: »Martha!«, *worauf die Gräfin
Geschwitz in den Salon tritt und die Tür hinter sich schließt.)*

LULU *(vergnügt)*. Mein liebes Herz, du kannst mich heute vor
dem Tode retten.

DIE GESCHWITZ. Wie kann ich das?

LULU. Wenn du mit dem Springfritzen nach einem Absteige-
quartier fährst.

DIE GESCHWITZ. Wozu das, mein Lieb?

LULU. Er sagt, du müßtest ihm heute abend noch angehören,
sonst zeigt er mich morgen an.

DIE GESCHWITZ. Du weißt, daß ich keinem Manne gehören
kann; ich bin von meinem Verhängnis nicht dazu bestimmt.

LULU. Wenn du ihm nicht gefällst, dann hat er das mit sich
selbst auszumachen. Warum verliebt er sich in dich!

DIE GESCHWITZ. Aber er wird brutal werden wie ein Henkers-
knecht. Er wird sich für seine Enttäuschung rächen und
mir die Schläfen einschlagen. Ich habe das schon erlebt. –
Ist es nicht möglich, daß du mir diese schwerste Prüfung
ersparst?

LULU. Was gewinnst du dabei, wenn er mich anzeigt?

DIE GESCHWITZ. Ich habe in meinem Vermögen noch so viel,
daß wir beide als Zwischendeckpassagiere nach Amerika
fahren können. Dort wärst du vor all deinen Verfolgern in
Sicherheit.

LULU *(vergnügt und munter)*. Ich will hier bleiben; ich kann in
keiner anderen Stadt mehr glücklich sein. Du mußt ihm
sagen, daß du ohne ihn nicht leben kannst. Dann fühlt er
sich geschmeichelt und wird lammfromm. Du mußt auch
den Kutscher bezahlen. Gib dem Kutscher diesen Zettel;
da steht die Adresse drauf. Nummer 376 ist ein Hotel sech-
sten Ranges, in dem man dich mit ihm heute abend erwartet.

DIE GESCHWITZ. Wie soll dir eine solche Ungeheuerlichkeit
das Leben retten? – Ich verstehe das nicht. – Du hast, um
mich zu martern, das furchtbarste Verhängnis herauf-

beschworen, das über mich Geächtete hereinbrechen
kann.

LULU *(lauernd)*. Vielleicht heilt dich die Begegnung!

DIE GESCHWITZ *(seufzend)*. O Lulu, wenn es eine ewige Ver-
5 geltung gibt, dann möchte ich nicht für dich einstehen
müssen! Ich kann mich nicht darein finden, daß kein Gott
über uns wacht. Und doch wirst du wohl recht haben, daß
es nichts damit ist. Denn womit habe ich unbedeutender
Wurm seinen Zorn gereizt, um nur Entsetzen zu erleben,
10 wo die ganze lebendige Schöpfung vor Seligkeit die Besinnung verliert!

LULU. Du hast dich nicht zu beklagen. Wenn du glücklich
wirst, dann bist du hundert und tausendmal glücklicher,
als es einer von uns gewöhnlichen Sterblichen jemals wird.

15 DIE GESCHWITZ. Das weiß ich auch; ich beneide niemanden!
Aber ich warte noch darauf. Du hast mich nun schon so oft
betrogen.

LULU. Ich bin dein, mein Liebling, wenn du den Springfritzen
bis morgen beruhigst. Er will nur seine Eitelkeit befriedigt
20 sehen; du mußt ihn beschwören, daß er sich deiner er-
barme.

DIE GESCHWITZ. Und morgen?

LULU. Ich erwarte dich, mein Herz. Ich werde die Augen
nicht aufschlagen, bevor du kommst. Ich sehe keine Kam-
25 merfrau, ich empfange keinen Friseur, ich werde die Augen
nicht aufschlagen, bevor du bei mir bist.

DIE GESCHWITZ. Dann laß ihn kommen.

LULU. Aber du mußt dich ihm an den Hals werfen, mein Lieb!
Hast du die Hausnummer noch?

30 DIE GESCHWITZ. 376. – Jetzt aber rasch!

LULU *(ruft ins Speisezimmer)*. Darf ich bitten, mein Liebling?

RODRIGO *(kommt aus dem Speisezimmer)*. Die Damen entschuldigen, daß ich das Maul voll habe.

DIE GESCHWITZ *(ergreift seine Hand)*. Ich bete Sie an! Erbarmen
35 Sie sich meiner Not!

RODRIGO. A la bonne heure! Besteigen wir das Schafott!

(Er bietet der Gräfin Geschwitz den Arm und verläßt mit ihr den Salon.)

LULU. Gute Nacht, meine Kinder! *(Sie begleitet das Paar auf den Korridor hinaus und kommt gleich darauf mit Bob zurück.)* Rasch, rasch, Bob! Wir müssen noch diesen Augenblick 5 fort! Du begleitest mich! Aber wir müssen die Kleider wechseln.

BOB *(kurz, hell).* Wie die gnädige Frau befehlen!

LULU *(ihn bei der Hand nehmend).* Ach was, gnädige Frau! Du gibst mir deine Kleider und ziehst meine Kleider an. 10 Komm!

(Lulu und Bob ins Speisezimmer ab. Im Spielzimmer entsteht Lärm; die Türen werden aufgerissen. Puntschu, Heilmann, Alwa, Bianetta, Magelone, Kadidja und Ludmilla Steinherz kommen in den Salon.) 15

HEILMANN *(ein Wertpapier in der Hand, auf dessen Titelkopf ein Alpenglühen zu sehen ist, zu Puntschu).* Wollen Sie wohl diese Jungfrauaktie akzeptieren, mein Herr!

PUNTSCHU. Aber das Papier hat keinen Kurs, lieber Freund.

HEILMANN. Sie Spitzbube! Sie wollen mir einfach keine 20 Revanche geben!

MAGELONE *(zu Bianetta).* Verstehen Sie vielleicht etwas von dem, was hier los ist?

LUDMILLA STEINHERZ. Puntschu hat ihm all sein Geld abgenommen und jetzt gibt er das Spiel auf. 25

HEILMANN. Jetzt kriegt er kalte Füße, der Saujude!

PUNTSCHU. Wieso gebe ich das Spiel auf? Wieso krieg' ich kalte Füße? Der Herr soll doch nur einfach bares Geld setzen! Bin ich hier in meiner Wechselstube? Seinen Wisch kann er mir ja morgen früh anbieten! 30

HEILMANN. Einen Wisch nennen Sie das? – Die Aktie steht meines Wissens auf 210.

PUNTSCHU. Gestern stand sie auf 210, da haben Sie recht. Heute steht sie überhaupt nicht mehr. Und morgen finden Sie gar nichts Billigeres und Geschmackvolleres zur Tape- 35 zierung Ihres Treppenhauses.

ALWA. Wie ist denn das möglich?! – Dann wären wir ja auf dem Pflaster!

PUNTSCHU. Was soll denn ich erst sagen, der ich mein ganzes Vermögen dabei verliere! Morgen früh habe ich das Vergnügen, den Kampf um eine gesicherte Existenz zum sechsunddreißigstenmal aufzunehmen!

MAGELONE *(sich vordrängend)*. Aber träum' ich denn oder hör' ich nicht recht?! Die Jungfrauaktien sollen gesunken sein??

PUNTSCHU. Noch tiefer gesunken als Sie! – Sie können sie auch beim Lockenbrennen verwerten!

MAGELONE. O du allmächtiger Gott! Zehn Jahre Arbeit! *(Sie sinkt in Ohnmacht.)*

KADIDJA. Wach auf, Mama! Wach auf!

BIANETTA. Sagen Sie, Herr Puntschu, wo werden Sie heute zu Abend essen, weil Sie doch Ihr ganzes Vermögen verloren haben?

PUNTSCHU. Wo es Ihnen beliebt, mein Fräulein! Führen Sie mich, wohin Sie wollen; aber rasch! Hier wird es jetzt fürchterlich.

(Puntschu und Bianetta verlassen den Salon.)

HEILMANN *(ballt seine Aktie zusammen und wirft sie zu Boden)*. Das hat man von dem Pack!

LUDMILLA STEINHERZ. Warum spekulieren Sie auch auf die Jungfrau? Schicken Sie doch einige kleine Notizen über die Gesellschaft hier an die deutsche Polizei, dann gewinnen Sie schließlich doch noch was dabei.

HEILMANN. Ich habe das noch nie in meinem Leben versucht, aber wenn Sie mir dabei behilflich sein wollen . . .?

LUDMILLA STEINHERZ. Lassen Sie uns in ein Restaurant gehen, das die ganze Nacht geöffnet ist. Kennen Sie den »Fünffüßigen Hammel«?

HEILMANN. Ich bedaure sehr –

LUDMILLA STEINHERZ. Oder »Das Saugkalb« oder den »Rauchenden Hund«? – Das liegt alles hier in der Nähe. Wir sind dort ganz unter uns. Bis zum Morgengrauen haben wir einen kleinen Artikel fertig.

HEILMANN. Schlafen Sie denn nicht?

LUDMILLA STEINHERZ. O gewiß; aber doch nicht bei Nacht! *(Heilmann und Ludmilla Steinherz verlassen den Salon durch die Entreetür.)*

ALWA *(seit längerer Zeit über Magelone gebeugt, die er aus ihrer Ohnmacht zu wecken sucht).* Eiskalte Hände hat sie! Ach – ist das ein prachtvolles Weib! – Man müßte ihr die Taille aufknöpfen! – Komm, Kadidja, knöpf deiner Mutter die Taille auf! Sie ist so furchtbar fest geschnürt.

KADIDJA *(ohne sich vom Platz zu rühren).* Ich fürchte mich. *(Lulu kommt aus dem Speisezimmer in Jockeimütze, rotem Jackett, weißen Lederhosen und Stulpstiefeln, einen Radmantel um die Schultern.)*

LULU. Hast du noch bares Geld, Alwa?

ALWA *(aufblickend).* Bist du verrückt geworden?

LULU. In zwei Minuten kommt die Polizei. Wir sind angezeigt. Du kannst ja hier bleiben, wenn du Lust hast!

ALWA *(aufspringend):* Allbarmherziger Himmel! *(Lulu und Alwa durch die Entreetür ab.)*

KADIDJA *(ihre Mutter schüttelnd, unter Tränen).* Mama! Mama! Wach doch auf! Alle sind fortgelaufen!

MAGELONE *(zu sich kommend).* Und die Jugend dahin! – – Und die schönen Tage dahin! – – Oh, dieses Leben!

KADIDJA. Aber ich bin doch jung, Mama! Warum soll denn ich kein Geld verdienen! – Ich mag nicht mehr ins Kloster. Ich bitte dich, Mama, behalte mich bei dir!

MAGELONE. Gott segne dich, mein Herzblatt! Du weißt ja nicht, was du sprichst. – Ach nein, ich werde mich nach einem Engagement an einem Varieté-Theater umsehen und den Leuten mein Mißgeschick mit den Jungfrauaktien vorsingen. So was wird immer beklatscht.

KADIDJA. Aber du hast ja keine Stimme, Mama!

MAGELONE. Ach ja, das ist ja wahr!

KADIDJA. Nimm mich doch mit in das Varieté-Theater!

MAGELONE. Nein, es zerreißt mir das Herz! Aber wenn's denn nicht anders sein soll, und es ist dir mal so bestimmt, dann kann ich nichts daran ändern! – – Wir können ja morgen zusammen in die Olympia-Säle gehen!

KADIDJA. O Mama, wie ich mich darauf freue!

EIN POLIZEIKOMMISSÄR *(in Zivil, vom Korridor eintretend)*. Im Namen des Gesetzes – Sie sind verhaftet!

CASTI-PIANI *(ihm müde folgend)*. Aber was machen Sie denn da für Unsinn? Das ist ja gar nicht die Rechte!

Dritter Aufzug

Eine Dachkammer ohne Mansarden. Zwei große Scheiben in der Flucht des Daches öffnen sich nach oben. Rechts und links vorn je eine schlechtschließende Tür. Im linken Proszenium eine zerrissene graue Matratze. Rechts vorn ein wackliger Blumentisch, auf dem eine Flasche und eine qualmende Petroleumlampe stehen. Rechts hinten in der Ecke eine alte Chaiselongue; neben der Mitteltür ein durchsessener Strohsessel. Man hört den Regen aufs Dach schlagen; unter der Dachluke steht eine mit Wasser gefüllte Schale. Vorn auf der Matratze liegt SCHIGOLCH *in langem grauen Paletot. Auf der Chaiselongue in der Ecke liegt* ALWA SCHÖN, *in einen Plaid gewickelt, dessen Riemen über ihm an der Wand hängt.*

SCHIGOLCH. Der Regen trommelt zur Parade.

ALWA. Ein stimmungsvolles Wetter für ihr erstes Auftreten! – Mir träumte eben, wir dinierten zusammen in den Olympia-Sälen. Bianetta war noch mit dabei. Das Tischtuch triefte auf allen vier Seiten von Champagner.

SCHIGOLCH. Yes, yes – und mir träumte von einem Weihnachtspudding.

(LULU, in halblangem Haar, das ihr offen über die Schultern fällt, erscheint barfuß, in abgerissenem schwarzen Kleide in der Türe rechts vorn.)

SCHIGOLCH. Wo bleibst du denn, mein Kind? – Du hast dir wohl erst noch die Haare gebrannt?

ALWA. Sie tut das nur, um alte Erinnerungen aufzufrischen.

LULU. Wenn man sich an einem von euch wenigstens etwas wärmen könnte!

ALWA. Willst du denn deine Pilgerfahrt barfuß antreten?

SCHIGOLCH. Der erste Schritt kostet immer allerhand Ächzen und Stöhnen. Vor zwanzig Jahren war das um kein Haar besser; und was hat sie seitdem gelernt! Die Kohlen müssen nur erst angefacht sein. Wenn sie acht Tage dabei ist, halten sie keine zehn Lokomotiven mehr in unserer ärmlichen Dachkammer.

ALWA. Die Schüssel läuft schon über.

LULU. Wo soll ich denn hin mit dem Wasser?

ALWA. Gieß es zum Fenster hinaus.

LULU *(steigt auf einen Stuhl und leert die Schale durch die Dachluke*
hinaus). Es scheint doch, der Regen will endlich nachlassen.

SCHIGOLCH. Du vertrödelst die Stunde, wo die Kommis vom
Abendessen nach Hause gehen.

LULU. Wollte Gott, ich läge schon irgendwo, wo mich kein
Fußtritt mehr weckt!

ALWA. Das wünschte ich mir auch. Wozu dieses Leben noch
in die Länge ziehen! Laßt uns lieber heute abend noch in
Frieden und Eintracht zusammen verhungern. Es ist ja
doch die letzte Station.

LULU. Warum gehst denn du nicht hin und schaffst uns was zu
essen?! Du hast in deinem ganzen Leben noch keinen Pfennig verdient!

ALWA. Bei diesem Wetter, bei dem man keinen Hund vor die
Türe jagt!?

LULU. Aber mich! Ich soll euch mit dem bißchen Blut, das ich
noch in den Gliedern habe, den Mund stopfen.

ALWA. Ich rühre keinen Happen an von dem Geld.

SCHIGOLCH. Laß sie nur gehen. Ich sehne mich noch nach
einem Weihnachtspudding; dann habe ich genug.

ALWA. Und ich sehne mich noch nach einem Beefsteak und
einer Zigarette, dann sterben! – Mir träumte eben von einer
Zigarette, wie sie noch nie geraucht worden ist.

SCHIGOLCH. Sie sieht uns lieber vor ihren Augen verenden,
als daß sie sich eine kleine Freude macht.

LULU. Die Menschen auf der Straße lassen mir eher Mantel
und Rock in den Händen, ehe sie umsonst mitgehen. Hät-
tet ihr meine Kleider nicht verkauft, dann brauchte ich
wenigstens das Laternenlicht nicht zu scheuen. Ich möchte
das Weib sehen, das in den Lumpen, die ich am Leib trage,
noch was verdient.

ALWA. Ich habe nichts Menschliches unversucht gelassen.
Solange ich noch Geld hatte, brachte ich Nächte damit hin,

Tabellen aufzubauen, mit denen man den perfektesten
Falschspielern gegenüber hätte gewinnen müssen. Und dabei verlor ich Abend für Abend mehr, als wenn ich die
Goldstücke eimerweise hinausgeschüttet hätte. Dann bot
ich mich den Kurtisanen an; aber die nehmen keinen, den   5
ihnen die Justiz nicht vorher abgestempelt hat. Und das
sehen sie einem auf den ersten Blick an, ob man Beziehungen zum Fallbeil hat oder nicht.

SCHIGOLCH. Yes, yes.

ALWA. Ich habe mir keine Enttäuschung erspart; aber wenn   10
ich Witze machte, dann lachten sie über mich selbst; wenn
ich mich so anständig gab, wie ich bin, dann wurde ich
geohrfeigt; und wenn ich es mit Gemeinheiten versuchte,
dann wurden sie so keusch und jungfräulich, daß mir vor
Entsetzen die Haare zu Berge standen. Wer die menschli-   15
che Gesellschaft nicht überwunden hat, der findet kein
Vertrauen bei ihnen.

SCHIGOLCH. Willst du nicht vielleicht endlich deine Stiefel
anziehen, mein Kind? – Ich glaube, ich werde in dieser
Behausung nicht mehr viel älter werden. In den Zehenspit-   20
zen habe ich schon seit Monaten kein Gefühl mehr. – Gegen Mitternacht werde ich im Lokal unten noch einige
Schnäpse trinken. Gestern sagte mir die Wirtin, ich hätte
noch ernstliche Aussicht, ihr Geliebter zu werden.

LULU. In des drei Teufels Namen, ich gehe hinunter! *(Sie*   25
nimmt die Flasche vom Blumentisch und setzt sie an den Mund.)

SCHIGOLCH. Damit man dich auf eine halbe Stunde weit kommen riecht!

LULU. Ich trinke nicht alles.

ALWA. Du gehst nicht hinunter, mein Weib! Du gehst nicht   30
hinunter! Ich verbiete es dir!

LULU. Was willst du deinem Weibe verbieten, wenn du dich
selbst nicht ernähren kannst?

ALWA. Wer ist daran schuld?! Wer anders als meine Frau hat
mich auf das Krankenlager gebracht.   35

LULU. Bin ich krank?

ALWA. Wer hat mich in den Kot geschleift? – Wer hat mich
zum Mörder meines Vaters gemacht?

LULU. Hast du ihn erschossen? – Er hat nicht viel verloren,
aber wenn ich dich dort liegen sehe, dann möchte ich mir
5 beide Hände dafür abhacken, daß ich mich so gegen meine
Vernunft versündigt habe! – *(Sie geht nach rechts in ihre
Kammer.)*

ALWA. Sie hat es mir von ihrem Casti-Piani übermacht. Sie
selbst ist längst nicht mehr dafür erreichbar.

10 SCHIGOLCH. Solche Teufelsracker können gar nicht früh
genug mit dem Erdulden anfangen, wenn bis zum Schluß
noch Engel daraus werden sollen.

ALWA. Sie hätte als Kaiserin von Rußland geboren werden
müssen. Da wäre sie an ihrem Platz gewesen. Eine zweite
15 Katharina die Zweite.

*(Lulu kommt mit einem Paar ausgetretener Stiefeletten aus ihrer
Kammer zurück und setzt sich auf die Diele, um sie anzuziehen.)*

LULU. Wenn ich nur nicht kopfüber die Treppe hinunter-
stürze! – Hu, wie kalt! – – Gibt es etwas Traurigeres auf
20 dieser Welt als ein Freudenmädchen!

SCHIGOLCH. Geduld, Geduld! Es muß nur erst der richtige
Zug ins Geschäft kommen.

LULU. Mir soll's recht sein; um mich ist es nicht mehr schade.
(Sie setzt die Flasche an.) Das heizt ein! – O verflucht! *(Sie geht
25 durch die Mitteltür ab.)*

SCHIGOLCH. Wenn wir sie kommen hören, müssen wir uns
solange in meinen Verschlag verkriechen.

ALWA. Es ist ein Jammer um sie! – Wenn ich zurückdenke –
ich bin doch gewissermaßen mit ihr aufgewachsen.

30 SCHIGOLCH. Solange ich lebe, hält sie jedenfalls noch vor.

ALWA. Wir verkehrten anfangs miteinander wie Bruder und
Schwester. Mama lebte damals noch. Ich traf sie eines
Morgens zufällig bei der Toilette. Doktor Goll war zu
einer Konsultation gerufen worden. Ihr Friseur hatte mein
35 erstes Gedicht gelesen, das ich in der »Gesellschaft« hatte
drucken lassen –: »Hetz' deine Meute weit über die

Berge hin; sie kehrt wieder von Schweiß und von Staub
bedeckt . . .«

SCHIGOLCH. O yes!

ALWA. Und dann kam sie in rosa Tüll – sie trug nichts darunter
als ein weißes Atlasmieder – auf den Ball beim spanischen   5
Gesandten. Doktor Goll schien seinen nahen Tod zu ah-
nen. Er bat mich, mit ihr zu tanzen, damit sie keine Toll-
heiten anstellte. Derweil wandte Papa kein Auge von uns
und sie sah während des Walzers über meine Schulter weg
nur nach ihm. Nachher hat sie ihn erschossen. Es ist un-   10
glaublich.

SCHIGOLCH. Ich zweifle nur stark daran, daß noch einer an-
beißt.

ALWA. Ich möchte es auch niemandem raten!

SCHIGOLCH. Dieses Rindvieh!   15

ALWA. Sie hatte damals, obgleich sie als Weib schon vollkommen entwickelt war, den Ausdruck eines fünfjährigen,
munteren, kerngesunden Kindes. Sie war damals auch nur
drei Jahre jünger als ich; aber wie lang ist das nun schon
her! Trotz ihrer fabelhaften Überlegenheit in Fragen des   20
praktischen Lebens ließ sie sich von mir den Inhalt von
»Tristan und Isolde« erklären; und wie entzückend verstand sie sich dabei aufs Zuhören. – Aus dem Schwester-
chen, das sich in seiner Ehe noch wie ein Schulmädchen
fühlte, wurde dann eine unglückliche hysterische Künst-   25
lersfrau. Aus der Künstlersgattin wurde dann die Frau meines seligen Vaters; aus der Frau meines Vaters wurde dann
meine Geliebte. Das ist nun einmal so der Lauf der Welt,
wer will dagegen aufkommen.

SCHIGOLCH. Wenn sie vor den Herren mit ehrlichen Absich-   30
ten nur nicht Reißaus nimmt und uns statt dessen einen
Obdachlosen heraufbringt, mit dem sie ihre Herzensge-
heimnisse ausgetauscht hat.

ALWA. Ich küßte sie zum erstenmal in ihrer rauschenden
Brauttoilette; aber nachher wußte sie nichts mehr davon.   35
Trotzdem glaube ich, daß sie in den Armen meines Vaters

schon an mich gedacht hat. Oft kann es ja nicht gewesen
sein. Er hatte seine Glanzzeit hinter sich und sie betrog ihn
mit Kutscher und Stiefelputzer. Aber wenn sie sich ihm
gab, dann stand ich vor ihrer Seele. Dadurch hat sie auch,
ohne daß ich mich dessen versehen konnte, diese furchtbare Gewalt über mich erlangt.

SCHIGOLCH. Da sind sie!

(Man hört schwere Tritte die Treppe heraufkommen.)

ALWA *(emporfahrend)*. Ich will das nicht erleben! Ich werfe den
Kerl hinaus!

SCHIGOLCH *(rafft sich mühsam auf, nimmt Alwa am Kragen und
pufft ihn nach links)*. Vorwärts, vorwärts! Wie soll ihr der
Junge seinen Kummer beichten, wenn wir zwei uns hier
herumwälzen.

ALWA. Aber wenn er ihr Gemeinheiten zumutet!

SCHIGOLCH. Und wenn, und wenn! Was will er ihr denn noch
zumuten! Er ist auch nur ein Mensch wie wir.

ALWA. Wir müssen die Tür auflassen.

SCHIGOLCH *(Alwa in den Verschlag stoßend)*. Unsinn! – Kusch
dich!

ALWA *(im Verschlag)*. Ich werde es schon hören! Gnade ihm der
Himmel!

SCHIGOLCH *(schließt die Kammer. Von innen)*. Maul halten!

ALWA *(von innen)*. Der soll sich vorsehen.

*(Lulu öffnet die Mitteltür und läßt Herrn HUNIDEI eintreten. Herr
Hunidei ist ein Mann von hünenhafter Gestalt, glattrasiertem, rosi-
gen Gesicht, himmelblauen Augen und freundlichem Lächeln. Er
trägt Havelock und Zylinder und trägt in der Hand den triefenden
Schirm.)*

LULU. Hier ist meine Wohnung.

HERR HUNIDEI *(legt den Zeigefinger auf den Mund und sieht Lulu
bedeutungsvoll an. Darauf spannt er seinen Schirm auf und stellt
ihn im Hintergrund zum Trocknen auf die Diele)*.

LULU. Sehr behaglich ist es hier allerdings nicht.

HERR HUNIDEI *(kommt nach vorn und hält ihr die Hand vor den
Mund)*.

LULU. Was wollen Sie mir damit zu verstehen geben?

HERR HUNIDEI *(legt ihr die Hand vor den Mund und hält den Zeige-finger an seine Lippen).*

LULU. Ich weiß nicht, was das bedeutet.

HERR HUNIDEI *(hält ihr rasch den Mund zu).*   5

LULU *(sich freimachend).* Wir sind hier ganz allein. Es hört uns kein Mensch.

HERR HUNIDEI *(legt den Zeigefinger an die Lippen, schüttelt vernei-nend den Kopf, zeigt auf Lulu, öffnet den Mund wie zum Sprechen, zeigt auf sich und dann auf die Türe).*   10

LULU *(für sich).* Herr Gott – das ist ein Ungeheuer!

HERR HUNIDEI *(hält ihr den Mund zu. Darauf geht er nach hinten, faltet seinen Havelock zusammen und legt ihn über den Stuhl ne-ben der Tür. Dann kommt er mit grinsendem Lächeln nach vorn, nimmt Lulu mit beiden Händen beim Kopf und küßt sie auf die   15 Stirn).*

SCHIGOLCH *(hinter der halboffenen Tür links vorn).* Bei dem ist eine Schraube los.

ALWA. Er soll sich vorsehen!

SCHIGOLCH. Etwas Trostloseres hätte sie nicht heraufbringen   20 können.

LULU *(zurücktretend).* Ich hoffe, Sie werden mir etwas schenken!

HERR HUNIDEI *(hält ihr den Mund zu und drückt ihr ein Goldstück in die Hand).*   25

LULU *(besieht das Goldstück und wirft es aus einer Hand in die an-dere).*

HERR HUNIDEI *(sieht sie unsicher fragend an).*

LULU. Na ja, es ist schon gut! *(Steckt das Geld in die Tasche.)*

HERR HUNIDEI *(hält ihr rasch den Mund zu, gibt ihr einige Silber-   30 stücke und wirft ihr einen gebieterischen Blick zu).*

LULU. Ei, das ist schön von Ihnen!

HERR HUNIDEI *(springt wie wahnsinnig im Zimmer umher, fuchtelt mit den Armen in der Luft herum und starrt verzweiflungsvoll gen Himmel).*   35

LULU *(nähert sich ihm vorsichtig, schlingt den Arm um ihn und küßt ihn auf den Mund).*

HERR HUNIDEI *(macht sich lautlos lachend von ihr los und blickt fragend umher).*

LULU *(nimmt die Lampe vom Blumentisch und öffnet die Tür zu ihrer Kammer).*

HERR HUNIDEI *(tritt lächelnd ein, indem er unter der Tür seinen Hut lüftet).*

(Die Bühne ist finster bis auf einen Lichtstrahl, der aus der Kammer durch die Türspalte dringt. – Alwa und Schigolch kriechen auf allen Vieren aus ihrem Verschlag.)

ALWA. Sind sie weg?

SCHIGOLCH *(hinter ihm).* Warte noch!

ALWA. Hier hört man nichts.

SCHIGOLCH. Das hat man oft genug gehört!

ALWA. Ich will vor ihrer Türe knien.

SCHIGOLCH. Dieses Muttersöhnchen! *(Er drückt sich an Alwa vorbei, tappt über die Bühne, nimmt Herrn Hunideis Havelock vom Stuhl und durchsucht die Taschen.)*

ALWA *(hat sich vor Lulus Kammertür geschlichen).*

SCHIGOLCH. Handschuhe – sonst nichts! *(Er kehrt den Havelock um, durchsucht die inneren Taschen und zieht ein Buch heraus, das er an Alwa gibt.)* Sieh mal nach, was das ist!

ALWA *(hält das Buch in den Lichtstrahl, der aus der Kammer dringt, und entziffert mühsam das Titelblatt).* »Ermahnungen für fromme Pilger und solche, die es werden wollen.« – Sehr hilfreich! – Preis zwei Schilling, sechs Pence.

SCHIGOLCH. Der scheint mir ganz von Gott verlassen zu sein. *(Legt den Mantel wieder über den Stuhl und tastet sich nach dem Verschlag zurück.)* Es ist nichts mit diesen Leuten. Die Nation hat ihre Glanzzeit hinter sich.

ALWA. Das Leben ist nie so schlimm, wie man es sich vorstellt. *(Er kriecht ebenfalls nach dem Verschlag zurück.)*

SCHIGOLCH. Nicht einmal ein seidenes Halstuch hat der Kerl. Und dabei kriechen wir in Deutschland vor dem Pack auf dem Bauch.

ALWA. Komm, laß uns wieder verschwinden.

SCHIGOLCH. Sie denkt eben nur an sich selbst und nimmt den ersten, der ihr in den Weg läuft. Hoffentlich vergißt der Hund sie zeit seines Lebens nicht.

(Schigolch und Alwa verkriechen sich in ihren Verschlag und schlie- 5
ßen die Türe hinter sich. Darauf tritt Lulu ein und setzt die Lampe
auf den Blumentisch.)

LULU. Werden Sie mich wieder besuchen?

HERR HUNIDEI *(hält ihr den Mund zu).*

LULU *(blickt in einer Art Verzweiflung gen Himmel und schüttelt den* 10
Kopf).

HERR HUNIDEI *(hat seinen Havelock übergeworfen und nähert sich*
ihr mit grinsendem Lächeln. Sie wirft sich ihm an den Hals, worauf
er sich sachte losmacht, ihr die Hand küßt und sich zur Türe wen-
det. Sie will ihn begleiten, er winkt ihr aber, zurückzubleiben, und 15
verläßt geräuschlos das Gemach.)

(Schigolch und Alwa kommen aus ihrem Verschlag.)

LULU *(tonlos).* Hat mich der Mensch erregt!

ALWA. Wieviel hat er dir gegeben?

LULU *(ebenso).* Hier ist alles! Nimm! Ich gehe wieder hin- 20
unter.

SCHIGOLCH. Wir können noch wie die Prinzen hier oben leben.

ALWA. Er kommt zurück.

SCHIGOLCH. Dann laß uns nur gleich wieder abtreten. 25

ALWA. Er sucht sein Gebetbuch; hier ist es. Es muß ihm aus dem Mantel gefallen sein.

LULU *(aufhorchend).* Nein, das ist er nicht. Das ist jemand anders.

ALWA. Es kommt jemand herauf. Ich höre es ganz deutlich. 30

LULU. Jetzt tappt jemand an der Tür. – Wer mag das sein?

SCHIGOLCH. Wahrscheinlich ein guter Freund, dem er uns empfohlen hat. – Herein!

(Die Gräfin GESCHWITZ tritt ein. Sie ist in ärmlicher Kleidung und
trägt eine Leinwandrolle in der Hand.) 35

DIE GESCHWITZ. Wenn ich dir ungelegen komme, dann kehre

ich wieder um. Ich habe allerdings seit zehn Tagen mit
keiner menschlichen Seele gesprochen. Ich muß dir nur
gleich sagen, daß ich kein Geld bekommen habe. Mein
Bruder hat mir gar nicht geantwortet.

SCHIGOLCH. Jetzt möchten gräfliche Gnaden gerne ihre Füße
unter unseren Tisch strecken?

LULU *(tonlos)*. Ich gehe wieder hinunter!

DIE GESCHWITZ. Wo willst du in dem Aufzug hin? – Ich
komme trotzdem nicht ganz mit leeren Händen. Ich bringe
dir etwas anderes. Auf dem Wege hierher bot mir ein Tröd-
ler noch zwölf Schillinge dafür. Ich brachte es nicht übers
Herz, mich davon zu trennen. Aber du kannst es verkaufen, wenn du willst.

SCHIGOLCH. Was haben Sie denn da?

ALWA. Lassen Sie doch mal sehen. *(Er nimmt ihr die Leinwandrolle ab und entrollt sie, sichtlich erfreut.)* Ach ja, mein Gott, das
ist ja Lulus Porträt!

LULU *(aufschreiend)*. Und das bringst du Ungeheuer hierher? –
Schafft mir das Bild aus den Augen! Werft es zum Fenster
hinaus!

ALWA *(plötzlich wie neu belebt, sehr vergnügt)*. Warum nicht gar!
Diesem Porträt gegenüber gewinne ich meine Selbstach-
tung wieder. Es macht mir mein Verhängnis begreiflich.
Alles wird so sonnenklar, was wir erlebt haben. *(Etwas
elegisch.)* Wer sich diesen blühenden, schwellenden Lippen,
diesen großen unschuldsvollen Kinderaugen, diesem ro-
sig-weißen strotzenden Körper gegenüber in seiner bürgerlichen Stellung sicher fühlt, der werfe den ersten Stein
auf uns.

SCHIGOLCH. Man muß es annageln. Es wird einen ausge-
zeichneten Eindruck auf unsere Kundschaft machen.

ALWA *(sehr geschäftig)*. Da drüben steckt schon ein Nagel dafür
in der Wand.

SCHIGOLCH. Wie kommen Sie denn zu der Akquisition?

DIE GESCHWITZ. Ich habe es damals in eurer Wohnung heim-
lich aus der Wand geschnitten, nachdem ihr fort wart.

ALWA. Schade, daß am Rande die Farbe abgeblättert ist! Sie haben es nicht vorsichtig genug aufgerollt. *(Er befestigt das Bild mit dem oberen Rande an einem Nagel, der in der Wand steckt.)*

SCHIGOLCH. Es muß unten noch einer durch, wenn es halten soll. Die ganze Etage bekommt ein eleganteres Aussehen.

ALWA. Laßt mich nur, ich weiß schon, wie ich es mache. *(Er reißt verschiedene Nägel aus der Wand, zieht sich den linken Stiefel aus und schlägt die Nägel mit dem Stiefelabsatz durch den Rand des Bildes in die Mauer.)*

SCHIGOLCH. Es muß nur erst wieder eine Weile hängen, um richtig zur Geltung zu kommen. Wer sich das angesehen hat, der bildet sich nachher ein, er sei in einem indischen Harem.

ALWA *(seinen Stiefel wieder anziehend, sich stolz aufrichtend)*. Ihr Körper stand auf dem Höhepunkt seiner Entfaltung, als das Bild gemalt wurde. Die Lampe, liebes Kind! Mir scheint, es ist außergewöhnlich stark nachgedunkelt.

DIE GESCHWITZ. Es muß ein eminent begabter Künstler gewesen sein, der das gemalt hat!

LULU *(wieder vollkommen ruhig mit der Lampe vor das Bild tretend)*. Hast du ihn denn nicht gekannt?

DIE GESCHWITZ. Nein; das muß lange vor meiner Zeit gewesen sein. Ich hörte nur zuweilen noch abfällige Bemerkungen von euch darüber, daß er sich in seinem Verfolgungswahn den Hals abgeschnitten habe.

ALWA *(das Porträt mit Lulu vergleichend)*. Der kindliche Ausdruck in den Augen ist trotz allem, was sie seitdem erlebt hat, noch ganz derselbe. *(In freudiger Erregung.)* Aber der frische Tau, der die Haut bedeckt, der duftige Hauch vor den Lippen, das strahlende Licht, das sich von der weißen Stirne aus verbreitet, und diese herausfordernde Pracht des jugendlichen Fleisches an Hals und Armen ...

SCHIGOLCH. Das alles ist mit dem Kehrichtwagen gefahren. Sie kann mit Selbstbewußtsein sagen: Das war ich mal!

Wem sie heute in die Hände gerät, der macht sich keinen
Begriff mehr von unserer Jugendzeit.

ALWA *(munter).* Gott sei Dank merkt man den fortschreiten-
den Verfall nicht, wenn man fortwährend miteinander ver-
kehrt. *(Leicht hinwerfend.)* Das Weib blüht für uns in dem
Moment, wo es den Menschen auf Lebenszeit ins Verderben stürzen soll. Das ist nun einmal so seine Naturbestim-
mung.

SCHIGOLCH. Unten im Laternenschimmer nimmt sie es noch
mit einem Dutzend Straßengespenster auf. Wer um diese
Zeit noch eine Bekanntschaft machen will, der sieht überhaupt mehr auf Herzenseigenschaften als auf körperliche
Vorzüge. Er entscheidet sich für das Paar Augen, aus denen am wenigsten Diebsgelüste funkeln.

LULU *(ebenso vergnügt wie Alwa).* Ich werde es ja sehen, ob du
recht hast. Adieu.

ALWA *(in jähem Zorn).* Du gehst nicht mehr hinunter, so wahr
ich lebe!

DIE GESCHWITZ. Wo willst du hin?

ALWA. Sie will sich einen Kerl heraufholen.

DIE GESCHWITZ. Lulu!

ALWA. Sie hat es heute schon einmal getan.

DIE GESCHWITZ. Lulu, Lulu, ich gehe mit, wohin du gehst!

SCHIGOLCH. Wenn Sie Ihre Knochen auf Zinsen legen wollen, dann suchen Sie sich bitte Ihr eigenes Revier aus.

DIE GESCHWITZ. Lulu, ich geh' dir nicht von der Seite! Ich
habe Waffen bei mir.

SCHIGOLCH. Verflucht noch mal! Gräfliche Gnaden legen es
darauf an, mit unserem Speck zu fischen!

LULU. Ihr bringt mich um! Ich halte es hier nicht mehr aus!

DIE GESCHWITZ. Du brauchst nichts zu fürchten. Ich bin bei
dir!

(Lulu mit der Gräfin Geschwitz durch die Mitte ab.)

SCHIGOLCH. Sakerment, Sakerment, Sakerment!

ALWA *(wirft sich wimmernd auf seine Chaiselongue).* Ich glaube,
ich habe vom Diesseits nicht mehr viel Gutes zu erwarten.

SCHIGOLCH. Man hätte das Frauenzimmer an der Kehle
  zurückhalten müssen. Sie vertreibt alles, was Odem hat,
  mit ihrem aristokratischen Totenschädel.

ALWA. Sie hat mich aufs Krankenlager geworfen und mich
  von außen und innen mit Dornen gespickt!   5

SCHIGOLCH. Dafür hat sie allerdings auch genug Courage für
  zehn Mannsleute im Leib.

ALWA. Keinen Verwundeten wird der Gnadenstoß jemals
  dankbarer finden als mich!

SCHIGOLCH. Wenn sie mir damals nicht den Springfritzen in   10
  meine Wohnung gelockt hätte, dann hätten wir ihn heute
  noch auf dem Hals.

ALWA. Ich sehe ihn über meinem Haupte schweben, wie Tantalus den Zweig mit goldenen Äpfeln.

SCHIGOLCH *(auf seiner Matratze).* – Willst du die Lampe nicht 15
  ein wenig hinaufschrauben?

ALWA. Ob wohl ein schlichter Naturmensch in seiner Wildnis
  auch so unsäglich leiden kann? – Mein Gott, mein Gott,
  was habe ich aus meinem Leben gemacht!

SCHIGOLCH. Was hat das Hundewetter aus meinem Havelock 20
  gemacht! – Mit fünfundzwanzig Jahren habe ich mir zu
  helfen gewußt!

ALWA. Es hat nicht jeder meine herrliche, sonnige Jugendzeit
  gekostet!

SCHIGOLCH. Ich glaube, sie geht gleich aus. – Bis sie zurück- 25
  kommen, wird es hier wieder dunkel wie im Mutterleib.

ALWA. Ich suchte mit klarstem Zielbewußtsein den Verkehr
  mit Menschen, die nie in ihrem Leben ein Buch gelesen
  haben. Ich klammerte mich mit aller Selbstverleugnung
  und Begeisterung an diese Elemente, um zu den höchsten 30
  Höhen dichterischen Ruhmes emporgetragen zu werden.
  Die Rechnung war falsch. Ich bin der Märtyrer meines
  Berufes. Seit dem Tode meines Vaters habe ich nicht einen
  einzigen Vers mehr geschrieben.

SCHIGOLCH. Wenn sie nur nicht zusammengeblieben sind. – 35

Wer kein dummer Junge ist, der geht sowieso nicht mit
zweien.

ALWA. Sie sind nicht zusammengeblieben!

SCHIGOLCH. Das hoffe ich. Sie hält sich die Person im Notfall
5 mit Fußtritten vom Leib.

ALWA. Der eine, aus der Hefe hervorgegangen, ist der ge-
feiertste Mann seiner Nation; und der andere, im Pur-
pur geboren, liegt in der Grundhefe und kann nicht sterben.

10 SCHIGOLCH. Jetzt kommen sie!

ALWA. Und wie selige Stunden gemeinsamer Schaffensfreude
hatten sie miteinander erlebt!

SCHIGOLCH. Das können sie jetzt erst recht. – Wir müssen
uns wieder verkriechen.

15 ALWA. Ich bleibe hier.

SCHIGOLCH. Was bedauerst du sie denn eigentlich? – Wer sein
Geld ausgibt, hat auch seine guten Gründe dafür!

ALWA. Ich habe den moralischen Mut nicht mehr, um mich
wegen einer lumpichten Summe Geldes in meiner Behag-
20 lichkeit stören zu lassen. *(Er verkriecht sich unter seinem Plaid.)*

SCHIGOLCH. Noblesse oblige! Ein anständiger Mensch tut,
was er seiner Stellung schuldig ist. *(Verbirgt sich in dem Verschlag.)*

LULU *(die Tür öffnend).* Komm nur herein, Schatz!

25 (KUNGU POTI, ERBPRINZ VON UAHUBEE, *in hellem Überrock,
hellen Beinkleidern, weißen Gamaschen, gelben Knopfstiefeln und
grauem Zylinder, tritt ein. Seine Sprache läßt die spezifisch afrika-
nischen Zischlaute hören und ist von vielfachem Rülpsen unterbrochen.)*

30 KUNGU POTI. God dam – ist sehr dunkel im Treppenhaus!

LULU. Hier ist es heller, süßes Herz! – *(Ihn an der Hand nach
vorn ziehend.)* Komm, komm!

KUNGU POTI. Aber kalt ist hier. Sehr kalt.

LULU. Trinkst du einen Schnaps?

35 KUNGU POTI. Schnaps? – Immer trink' ich Schnaps! – Schnaps
ist gut!

LULU *(gibt ihm die Flasche).* Ich weiß nicht, wo das Glas ist.

KUNGU POTI. Macht nichts. *(Setzt die Flasche an und trinkt.)* Schnaps! – Viel Schnaps!

LULU. Sie sind ein hübscher junger Mann.

KUNGU POTI. Mein Vater ist Kaiser von Uahubee. Ich habe hier sechs Frauen, zwei spanische, zwei englische, zwei französische. Well – ich liebe nicht meine Frauen. Immer soll ich Bad nehmen, Bad nehmen, Bad nehmen . . .

LULU. Wieviel schenken Sie mir.

KUNGU POTI. Goldstück! – Du kannst glauben, du wirst haben Goldstück! – Goldstück! – Immer schenken Goldstück!

LULU. Sie können es mir später geben; aber zeigen Sie es mir.

KUNGU POTI. Ich nie bezahlen vorher.

LULU. Aber zeigen können Sie es mir doch!

KUNGU POTI. Nicht verstehen! Nicht verstehen! – Komm Ragapsischimulara! *(Lulu um die Taille fassend.)* Komm!

LULU *(wehrt sich aus Leibeskräften).* Lassen Sie mich los! Lassen Sie mich los!

ALWA *(hat sich mühsam vom Lager aufgerafft, schleicht von hinten an Kungu Poti heran und reißt ihn am Rockkragen zurück).*

KUNGU POTI *(wendet sich rasch nach Alwa um).* Oh! Oh! Hier ist Mörderhöhle! – Komm, Freund, will dir geben Schlafmittel! *(Er schlägt ihn mit einem Totschläger über den Kopf, worauf Alwa stöhnend zusammenbricht.)* Hier hast du Schlafmittel! Hier hast du Opium! – Schöne Träume kommen! Schöne Träume! *(Darauf gibt er Lulu einen Kuß, auf Alwa zeigend.)* Träumt von dir, Ragapsischimulara! – Schöne Träume! – *(Zur Tür eilend.)* Hier ist Türe! *(Ab.)*

LULU. – – Ich werde doch nicht hierbleiben?! – – Wer hält es denn jetzt hier noch aus! – – Lieber hinunter auf die Straße! – *(Ab.)*

(Schigolch kommt aus seinem Verschlag.)

SCHIGOLCH *(über Alwa gebeugt).* – – Blut! – Alwa! – – Man muß ihn beiseite schaffen. – Hopp! – Sonst nehmen unsere Bekannten Anstoß an ihm. Alwa! Alwa! – Wer da nicht mit

sich im Klaren ist – ! – Entweder oder; sonst wird's leicht
zu spät! – – Ich will ihm Beine machen. *(Er zündet ein Streich-
holz an und steckt es ihm unter den Kragen. Da sich Alwa nicht
regt.)* Er will seine Ruhe haben. – Aber hier wird nicht
geschlafen. *(Er schleift ihn am Genick in Lulus Kammer. Darauf
versucht er die Lampe hinaufzuschrauben.)* Für mich wird es
nun auch bald Zeit, sonst kriegt man unten im Lokal keinen
Weihnachtspudding mehr. Weiß Gott, wann die von ihrer
Vergnügungstour zurückkommen. – *(Lulus Bild ins Auge fassend.)* Die versteht die Sache nicht. Die kann von der Liebe
nicht leben, weil ihr Leben die Liebe ist. – Da kommt sie!
Ich werde ihr mal ins Gewissen reden . . .
(Die Tür geht auf und die Gräfin Geschwitz tritt ein.)

SCHIGOLCH. Wenn Sie Nachtquartier bei uns nehmen wollen,
dann geben Sie bitte ein wenig acht, daß hier nichts gestohlen wird.

DIE GESCHWITZ. Wie dunkel es hier ist!

SCHIGOLCH. Es wird noch viel dunkler. – Der Herr Doktor
haben sich schon zur Ruhe gelegt.

DIE GESCHWITZ. Sie schickt mich voraus.

SCHIGOLCH. Das ist vernünftig. – Wenn jemand nach mir
fragt, ich sitze unten im Lokal. – *(Ab.)*

DIE GESCHWITZ *(allein)*. Ich will mich neben die Tür setzen.
Ich will alles mit ansehen und nicht mit der Wimper zuk-
ken. *(Sie setzt sich auf den Strohsessel neben die Tür.)* – Die
Menschen kennen sich nicht – sie wissen nicht, wie sie sind.
Nur wer selber kein Mensch ist, der kennt sie. Jedes Wort,
das sie sagen, ist unwahr, erlogen. Das wissen sie nicht,
denn sie sind heute so und morgen so, je nachdem ob sie
gegessen, getrunken und geliebt haben oder nicht. Nur der
Körper bleibt auf einige Zeit, was er ist, und nur die Kinder
haben Vernunft. Die Großen sind wie die Tiere; keines
weiß, was es tut. Wenn sie am glücklichsten sind, dann
jammern sie, dann stöhnen sie und im tiefsten Elend freuen
sie sich jedes winzigen Happens. Es ist sonderbar, wie der
Hunger den Menschen die Kraft zum Unglück nimmt.

Wenn sie sich aber gesättigt haben, dann machen sie sich
die Welt zur Folterkammer, dann werfen sie ihr Leben für
die Befriedigung einer Laune weg. – Ob es wohl einmal
Menschen gegeben hat, die durch Liebe glücklich geworden sind? Was ist denn ihr Glück anders, als daß sie besser   5
schlafen und alles vergessen können? – Herr Gott, ich danke dir, daß du mich nicht geschaffen hast wie diese. – Ich
bin nicht Mensch; mein Leib hat nichts gemeines mit Men-
schenleibern. Habe ich eine Menschenseele? Zerquälte
Menschen tragen ein kleines enges Herz in sich; ich aber   10
weiß, daß es nicht mein Verdienst ist, wenn ich alles hingebe, alles opfre . . .

(Lulu öffnet die Tür und läßt DOKTOR HILTI *eintreten. Die
Geschwitz bleibt, ohne von beiden bemerkt zu werden, regungslos
neben der Tür sitzen.)*   15

LULU *(munter).* Komm nur herein! Komm! – Du bleibst bei
mir die Nacht?

DR. HILTI. Abär iach habä niacht mähr, dän fühnf Schielingä
bei miar; iach nämma nia mähr miet, wän iach ausgähä.

LULU. Das ist genug, weil du es bist! Du hast so treue Augen!   20
– Komm, gib mir einen Kuß!

DR. HILTI. Hiemäl, Härgoht, Töüfäl, Kräuzpataliohn . . .

LULU. Ich bitte dich, schweig doch!

DR. HILTI. Beim Töüfäl, äs ischt nämliach tas ärschte Mol tas
iach miet einäm Mädachän gähä. Tu kchanscht miar glou-   25
bän. Sakchärmänt, iach hätä miar tas gahnz andärsch gä-
dahcht!

LULU. Bist du verheiratet?

DR. HILTI. Hiemäl, Hagäl, worum meinscht tu, iach sei vär-
heurotet? – Nein, iach biien Prifot-Tozänt; iach läsä Phi-   30
lossoffie ahn där Unifärsität. Sakchärmänt, iach bien nämliach ous einär oltän Basler Bodriziär-Fomiliä; iach ärhielt
als Studänt nur zwoi Frankchen Toschängält und tas
kchohntä iach bessär anwänden als füar Mädachän.

LULU. Deshalb warst du nie bei einer Frau?   35

DR. HILTI. Äbän ja! Äbän! Abär iach brouchä äs itzt; iach

habä miach heutä Obänd värsprochän miet oinär Basler
Bodriziärsdochtär. Sie ischt hiär Kchindärmädchön.

LULU. Ist deine Braut hübsch?

DR. HILTI. Ja, sie hat zwoi Millionän. – Iach bien sähr
5 gespahnt, wia äs miach dunckän wird.

LULU (ihr Haar zurückwerfend). Ich habe wirklich Glück! (Sie
erhebt sich und nimmt die Lampe.) Wenn es Ihnen also recht
ist, Herr Privatdozent ...? (Sie führt Dr. Hilti in ihre
Kammer.)

10 DIE GESCHWITZ (zieht einen kleinen schwarzen Revolver aus ihrer
Tasche und hält ihn sich gegen die Stirn). .... Komm, komm –
Geliebter!

DR. HILTI (reißt von innen die Tür auf und stürzt heraus). O ver-
reckchte Chaib – do lit Eine drin!

15 LULU (die Lampe in der Hand, hält ihn am Ärmel). Bleib bei mir!

DR. HILTI. Ä Todtnige! – Ä Liach?

LULU. Bleib bei mir, bleib bei mir!

DR. HILTI (sich losmachend). Ä Liach lit do in – Himmel,
Stärne, Chaib!

20 LULU. Bleib bei mir!

DR. HILTI. Wo got's do usse? (Die Geschwitz erblickend.) Und
das isch de Tüfel!

LULU. Ich bitte dich, bleib!

DR. HILTI. Chaibe, verchaibeti Chaiberei – O du ewige
25 Hagel! – (Durch die Mitte ab.)

LULU. Bleib! – Bleib! (Sie stürzt ihm nach.)

DIE GESCHWITZ (allein, läßt den Revolver sinken). Lieber erhängen! – Wenn sie mich heute in meinem Blute liegen sieht,
weint sie mir keine Träne nach. Ich war ihr immer nur das
30 gefügige Werkzeug, das sich zu den schwierigsten Arbeiten
gebrauchen ließ. Sie hat mich vom ersten Tage an aus tiefster Seele verabscheut. – Springe ich nicht lieber von der
Brücke hinunter? Was mag kälter sein, das Wasser oder ihr
Herz? – Ich würde träumen, bis ich ertrunken bin. – –
35 Lieber erhängen! – – Erstechen? – Hm, es kommt nichts
dabei heraus. – – Wie oft träumte mir, daß sie mich küßt!

Noch eine Minute nur; da klopft eine Eule ans Fenster, und
ich erwache. – – Lieber erhängen! Nicht ins Wasser; das
Wasser ist zu rein für mich. *(Plötzlich auffahrend.)* Da! – Da!
Da ist es! – Rasch noch, bevor sie kommt! *(Sie nimmt den
Plaidriemen von der Wand, steigt auf den Sessel, befestigt den Rie-* 5
men an einem Haken, der im Türpfosten steckt, legt sich den Rie-
men um den Hals, stößt mit den Füßen den Stuhl um und fällt zur
Erde.) – – Verfluchtes Leben! – Verfluchtes Leben! – –
Wenn es mir noch bevorstände? – Laß mich einmal nur zu
deinem Herzen sprechen, mein Engel! Aber du bist kalt! – 10
Ich soll noch nicht fort! Ich soll vielleicht auch einmal
glücklich gewesen sein. – Höre auf ihn, Lulu; ich soll noch
nicht fort! – *(Sie schleppt sich vor Lulus Bild, sinkt in die Knie und*
faltet die Hände.) Mein angebeteter Engel! Mein Lieb! Mein
Stern! – Erbarm' dich mein, erbarm' dich mein, erbarm' 15
dich mein!

(Lulu öffnet die Türe und läßt JACK *eintreten. Er ist ein Mann von*
gedrungener Figur, von elastischen Bewegungen, blassem Gesicht,
entzündeten Augen, hochgezogenen, starken Brauen, hängendem
Schnurrbart, dünnem Knebelbart, zottigen Favorits und feuerroten 20
Händen mit vernagten Fingernägeln. Sein Blick ist auf den Boden
geheftet. Er trägt dunklen Überrock und kleinen runden Filzhut.)
JACK *(die Geschwitz bemerkend).* Wer ist das?
LULU. Das ist meine Schwester, Herr. Sie ist verrückt. Ich
weiß nicht, wie ich sie los werden soll. 25
JACK. Du scheinst einen schönen Mund zu haben.
LULU. Den hab' ich von meiner Mutter.
JACK. Danach sieht er aus. – Wieviel willst du? – Viel Geld
hab' ich nicht übrig.
LULU. Wollen Sie denn nicht die ganze Nacht hierbleiben? 30
JACK. Nein, ich habe keine Zeit. Ich muß nach Haus.
LULU. Sie können doch morgen zu Hause sagen, Sie hätten
den letzten Omnibus verpaßt und hätten bei einem Freund
übernachtet.
JACK. Wieviel willst du? 35

LULU. Ich verlange keinen Goldklumpen, aber doch – ein kleines Stück.

JACK (*wendet sich zur Tür*). Guten Abend! Guten Abend!

LULU (*hält ihn zurück*). Nein, nein! Bleiben Sie um Gottes willen!

JACK (*geht an der Geschwitz vorbei und öffnet den Verschlag*). Warum soll ich bis morgen hierbleiben? – Das klingt verdächtig! – Wenn ich schlafe, kehrt man mir die Taschen um.

LULU. Nein, das tu' ich nicht! Das tut niemand! – Gehen Sie deshalb nicht wieder fort! Ich bitte Sie darum!

JACK. Wieviel willst du?

LULU. Dann geben Sie mir die Hälfte von dem, was ich sagte!

JACK. Nein, das ist zuviel. – Du scheinst noch nicht lange dabei zu sein?

LULU. Heute zum erstenmal. – (*Sie reißt die Geschwitz, die sich immer auf den Knien halb gegen Jack aufgerichtet hat, an dem Riemen, den sie um den Hals trägt, zurück.*) Willst du dich kuschen!

JACK. Laß sie in Ruh'! – Das ist nicht deine Schwester. Sie ist in dich verliebt. (*Er streichelt der Geschwitz wie einem Hunde den Kopf.*) Armes Tier!

LULU. Was starren Sie mich auf einmal so an?!

JACK. Ich beurteilte dich nach der Art, wie du gehst. Ich sagte mir, die muß einen gutgebauten Körper haben.

LULU. Wie kann man denn so etwa sehen?

JACK. Ich sah sogar, daß du einen hübschen Mund hast. – Ich habe aber nur ein Silberstück bei mir.

LULU. Nun ja, was macht das! Gib es mir nur!

JACK. Du mußt mir aber die Hälfte herausgeben, damit ich morgen früh den Omnibus nehmen kann.

LULU. Ich habe nichts in der Tasche.

JACK. Sieh nur mal nach! Such deine Taschen durch! – Nun, was ist das? Laß mich's sehen!

LULU (*hält ihm die Hand hin*). Das ist alles, was ich habe.

JACK. Gib mir das Geldstück!

LULU. Ich wechsle es morgen früh; dann gebe ich dir die
Hälfte!

JACK. Nein, gib mir das ganze.

LULU *(gibt es ihm)*. In Gottes Namen! – Aber nun komm auch!
(Sie nimmt die Lampe.)   5

JACK. Wir brauchen kein Licht, der Mond scheint.

LULU *(stellt die Lampe weg)*. Wie Sie meinen. *(Sie fällt Jack um den
Hals.)* Ich tu' Ihnen nichts zuleide! Ich habe Sie so gern!
Lassen Sie mich nicht länger betteln!

JACK. Mir soll's recht sein. *(Er folgt ihr in Schigolchs Verschlag.)*   10
*(Die Lampe erlischt. Auf der Diele unter den beiden Fenstern er-
scheinen vom Mondlicht zwei viereckige grelle Flecke. Im Zimmer
ist alles deutlich erkennbar.)*

DIE GESCHWITZ *(allein, spricht wie im Traum)*. Dies ist der letzte
Abend, den ich mit diesem Volk verbringe. – Ich kehre   15
nach Deutschland zurück. Meine Mutter schickt mir das
Reisegeld. – Ich lasse mich immatrikulieren. Ich muß für
Frauenrechte kämpfen, Jurisprudenz studieren.

LULU *(barfuß in Hemd und Unterrock, reißt schreiend die Tür auf
und hält sie außen zu)*. Hilfe! – Hilfe!   20

DIE GESCHWITZ *(stürzt nach der Tür, zieht ihren Revolver und richtet ihn, Lulu hinter sich drängend, gegen die Tür; zu Lulu)*. Laß
los!

JACK *(reißt, zur Erde gebückt, die Tür von innen auf und rennt der
Geschwitz ein Messer in den Leib)*.   25
*(Die Geschwitz knallt einen Schuß gegen die Decke und bricht
wimmernd zusammen.)*

JACK *(entreißt ihr den Revolver und wirft sich gegen die Ausgangs-
tür)*. God dam! Ich habe noch keinen hübscheren Mund
gesehen. *(Der Schweiß trieft ihm aus den Haaren, seine Hände*   30
*sind blutig. Er keucht aus tiefster Brust und starrt mit aus dem Kopf
tretenden Augen zu Boden.)*

LULU *(zitternd an allen Gliedern, blickt wild umher. Plötzlich ergreift
sie die Flasche, zerschlägt sie am Tisch und stürzt, den abgebroche-
nen Hals in der Hand, auf Jack los)*.   35

JACK *(hat den rechten Fuß emporgezogen und schleudert Lulu auf den Rücken. Darauf hebt er sie vom Boden auf).*

LULU. Nein, nein! – Erbarmen! – Mörder! – Polizei! – Polizei!

JACK. Sei ruhig! Du entkommst mir nicht mehr! *(Er trägt sie in* 5 *den Verschlag.)*

LULU *(von innen).* Nein! – Nein! – Nein! – – O! – O . . .

JACK *(kommt nach einer Weile zurück und setzt die Schale auf den Blumentisch).* Das war ein Stück Arbeit! – *(Sich die Hände waschend.)* Ich bin doch ein verdammter Glückspilz! *(Sieht* 10 *sich nach einem Handtuch um.)* Nicht einmal ein Handtuch haben die Leute hier! – Eine furchtbar ärmliche Höhle! – *(Er trocknet seine Hände am Unterrock der Geschwitz ab.)* Dies Ungeheuer ist ganz sicher vor mir! – *(Zur Geschwitz.)* Mit dir ist es auch bald zu Ende. *(Durch die Mitte ab.)*

15 DIE GESCHWITZ *(allein).* Lulu! – Mein Engel! – Laß dich noch einmal sehen! – Ich bin dir nah! Bleibe dir nah – in Ewigkeit! *(In die Ellenbogen brechend.)* O verflucht! – *(Sie stirbt.)*

Editorische Notiz

Der Text folgt der ›Ausgabe letzter Hand‹, also der Fassung der *Gesammelten Werke*, Bd. 3, München/Leipzig: Georg Müller, 1913; hinsichtlich des *Erdgeist* war für die ›Ausgabe letzter Hand‹ der Text von 1905 Druckvorlage (vgl. die Stemma-Übersicht S. 189).
Die Büchse der Pandora erfuhr das problematischere Schicksal. Nach den gerichtlichen Prozeduren, die zu erheblichen Textstreichungen in der ›gereinigten‹ Fassung von 1906 führten, ließ Wedekind 1911 die 4. Auflage als »Bühnenbearbeitung« drucken, in der er die wesentlichen, durch die Zensur erzwungenen Textstreichungen wieder rückgängig machte. Diese 4. Auflage (das 7. bis 9. Tausend) war Textgrundlage für die ›Ausgabe letzter Hand‹ und wurde in Zweifelsfällen für die Textgestalt der vorliegenden Edition berücksichtigt. Zu Beginn des Vorworts weist Wedekind darauf hin, daß er sein Drama *Die Büchse der Pandora* »vor jedem Neuerscheinen [...] immer wieder einer gründlichen Durcharbeitung« unterzog, »bis es seine jetzige Form erhielt, die ihm endgültig belassen werden soll« (S. 95). – Offensichtliche Druckversehen wurden stillschweigend korrigiert.

Nachwort

Die Lulu-Tragödie gilt als Hauptwerk des Dichters. Warum eigentlich? Weil Wedekind – mit Unterbrechungen natürlich – von 1892 bis 1913 daran gearbeitet hat? Weil die zeitgenössischen Aufführungen in handfeste Theaterskandale auszuarten pflegten? Weil die *Büchse der Pandora* eingestampft wurde und ihren Weg durch drei gerichtliche Instanzen nehmen mußte? Gilt die Lulu-Tragödie als Wedekinds Hauptwerk vor allem deswegen, weil sie von Anfang an im Ruche des Unzüchtigen und Kriminellen stand und Sex and Crime die zuverlässigste Paarung darstellt, Publizität zu garantieren?

Der wissenschaftlichen Literatur zu diesem Werk ist nicht einmal zu entnehmen, worum es darin überhaupt geht. Wilhelm Emrich, der selbst den profiliertesten Beitrag zur Erforschung dieses monumentalen Werkes leistete, indem er die Lulu-Figur vom Odium der Femme fatale befreite,[1] stellte 1979 gar die Behauptung auf, daß es »im Grunde überhaupt noch keine ernst zu nehmende Wedekind-Forschung gibt«.[2]

Neben den Entwürfen zu einer späten Bearbeitung der letzten Szene der *Büchse der Pandora* findet sich in Wedekinds Notizheften ein Entwurf, der Vorwortcharakter hat. Die ersten Sätze lauten: »Wer guten Gewissens und frohen Herzens ein Kunstwerk in die Welt hinausschickt, schreibt nicht selber den Commentar dazu. Schlimm genug, wenn es Andere thun! [. . .] Meine Arbeit richtet sich ihrer Natur nach an einen engbegrenzten Leserkreis. Dem großen Haufen ist sie ein Buch mit sieben Siegeln. Dem literarisch arbeitenden

1 Wilhelm Emrich, »Die Lulu-Tragödie«, in: *Das deutsche Drama vom Barock bis zur Gegenwart. Interpretationen*, Bd. 2, hrsg. von Benno von Wiese, Düsseldorf 1962, S. 207–228; wiederabgedr. in: W. E.: *Protest und Verheißung. Studien zur klassischen und modernen Dichtung*, Frankfurt a. M. / Bonn ³1968, S. 206–222.
2 Wilhelm Emrich, »Frank Wedekind-Ausgabe«, in: *Sprache im technischen Zeitalter*, H. 69 (1979) S. 106.

Menschen möchte sie eventuell ein Fingerzeig, eventuell eine
Anregung sein, mit den nämlichen Mitteln besseres zu schaffen. Wenn der große Haufe mich fragt: Was will der Dichter?
– so ist meine Antwort: Er muß! Die nämliche schroffe
Abfertigung gebührt der Kritik, die die künstlerischen Interessen des großen Haufens vertritt.«[3]

Der Umstand, daß Wedekind diese Sätze nicht veröffentlichte, könnte Zweifel an deren Ernsthaftigkeit erregen,
bewiese nicht das Gesamtwerk das Gegenteil; und betrachtet
man dessen Schicksal im Spiegel der zeitgenössischen Rezep-
tion, kann man nur die Überzeugung gewinnen, daß dieser
elitär-eskapistisch anmutende Standpunkt für den Künstler
und sein Werk die schwerwiegendsten Folgen hatte – bis
heute. Daß er die Lulu-Tragödie geschrieben hat, »ohne im
Traum an eine Bühnenaufführung zu denken«,[4] zeigt, wie
gravierend er den Abstand seiner Arbeit zur herrschenden
naturalistischen Bühnenpraxis der Zeit empfand. Und da die
Handschrift im Titel den unterstrichenen Vermerk »Buchdrama« trägt, kann er damit nur eine literarische Arbeit cha-
rakterisiert haben, die zwar dramatisch fundiert ist, aber nur
einer gründlichen Lektüre sich zu erschließen vermag. Der
stark überarbeitete Erstdruck des *Erdgeist* ist bereits »Bühnenmanuskript« – und der erste Versuch auf der Bühne?

In der »Literarischen Gesellschaft« in Leipzig, wo Wedekind kurz vor der Jahrhundertwende auftauchte und auch da
rasch als »schwer verständliches junges Genie«[5] galt –
»höchst fremdartig und stilwidrig [...] seine konfiszierte
Bohêmeerscheinung – in schwarzem, abgeschabtem Jackett-
anzug, einen unförmigen Chapeau claque in die Stirn gedrückt, schritt er grüblerisch dahin«[6] –, wollte man den Ver-

3 Notizheft 1 (Handschriftenabteilung der Stadtbibliothek München), S. 14.
4 Frank Wedekind, *Werke in drei Bänden*, hrsg. von Manfred Hahn, Bd. 3,
  Berlin/Weimar 1969, S. 346. (Zit. als: *Werke*.)
5 Kurt Martens: *Schonungslose Lebenschronik. 1870–1900*, Berlin/Leipzig/
  München 1921, S. 213.
6 Ebd., S. 205.

such wagen, wenigstens den ersten Akt aufzuführen. »Das ganze Stück«, so Kurt Martens, »mit dessen Sprache wir vorderhand nichts anzufangen wußten, unserem Publikum vorzusetzen, erschien uns undenkbar. Niemand würde, so meinten wir, aus den aneinander vorbeiredenden Gestalten klug werden. Aber Wedekind bohrte solange, bis wir uns entschlossen, den ›Erdgeist‹ vollständig und ungestrichen als letzte Vorstellung des Winters anzusetzen.«[7]

Das Stück wurde auf dem Theaterzettel der Uraufführung (25. Februar 1898) als »Burleske« angekündigt, da, so berichtet Martens weiter, »keiner von uns, auch der Regisseur Carl Heine nicht, es für möglich hielt, den furchtbaren Ernst der Handlung und Idee durch alle Szenen und Episoden hindurch festzuhalten [...] Die Proben nahmen unter mannigfachen Zweifeln, besonders über Färbung und Tempo des Dialogs, einen sehr lebhaften, oft stürmischen Verlauf. Wedekind hatte seine Not mit den Schauspielern, weil sie der ganzen Sache ziemlich ratlos gegenüberstanden. Er fieberte vor nervöser Überreizung; denn es hing von diesem Abend sehr viel für ihn ab. Nicht nur als Dramatiker, sondern auch als Schauspieler betrat er zum erstenmal die Bühne; verschiedene Theaterdirektoren hatten sich angekündigt, die Kritiker und Korrespondenten auswärtiger Blätter gefielen sich gegen ihn im ungünstigsten Vorurteil, selbst das Publikum war nicht das herkömmliche«: Denn im schreienden Kontrast zum zitierten Vorwortentwurf hatte man für diese erste Wedekind-Premiere »als Kern einer ›unbefangenen‹ Zuhörerschaft [...] vorwiegend Arbeiter der Gewerkschaften« zusammengetrommelt, die sich »vorzüglich« bewährt haben sollen. Sie faßten das Werk als »sozialistischen Protest gegen das verrottete Bürgertum« auf, »Lulu selbst als geißelschwingende Proletarierin« und führten das Ereignis dem »Protest einiger sittlich Entrüsteten gegenüber zu unerwartet stürmischem Erfolge.«[8] Lulu als »geißelschwingende Proletarierin«?

7 Ebd.
8 Ebd., S. 216 f.

Die Bedingung dieser Uraufführung war, daß Wedekind, der damals »nach jedem Strohhalm des Erfolges griff«,[9] es noch nicht verschmähte, den »Ideengang« des Stückes unter den an der Aufführung Beteiligten »ins rechte Licht zu setzen«, ja selbst Kritikern, wie Martens augenzwinkernd vermerkt, diesbezügliche Kenntnisse »einzublasen«.[10] So mag es ganz aus der Luft gegriffen vielleicht nicht sein, daß die völlig absurd erscheinende Idee, für die Uraufführung eines derart »unerhört traditionslosen«[11] Stückes als »Kern« des Publikums Arbeiter zu mobilisieren, auf Wedekind selbst zurückzuführen ist, denn schließlich ist es der Schriftsteller Alwa, der in der *Büchse der Pandora* als Verfasser des *Erdgeist*, im Gegensatz zu den »Zunftinteressen« der gebildeten »Schriftsteller und Gelehrten«, in eine entsprechende Richtung des Problembewußtseins verweist: »Das ist der Fluch, der auf unserer jungen Literatur lastet, daß wir viel zu literarisch sind. Wir kennen keine anderen Fragen und Probleme als solche, die unter Schriftstellern und Gelehrten auftauchen. Unser Gesichtskreis reicht über die Grenzen unserer Zunftinteressen nicht hinaus. Um wieder auf die Fährte einer großen gewaltigen Kunst zu gelangen, müßten wir uns möglichst viel unter Menschen bewegen, die nie in ihrem Leben ein Buch gelesen haben, denen die einfachsten animalischen Instinkte bei ihren Handlungen maßgebend sind. In meinem ›Erdgeist‹ habe ich schon aus voller Kraft nach diesen Prinzipien zu arbeiten gesucht.« (S. 111.)

Damit ist auf eine Problematik verwiesen, die im schroffen Kontrast zu den *ver*bildeten »Zunftinteressen« der ›Gebildeten‹ in einer irdeneren, gleichsam ›*erd*-geisthafteren‹ Basis wurzelt, zu der aufgrund einer gewissen natürlichen Affinität trotz extremer formaler Kunstraffinessen der Zugang einem

9 Ebd., S. 189.
10 Ebd., S. 213.
11 Kurt Martens, *Literatur in Deutschland. Studien und Eindrücke*, Berlin 1910, S. 90.

entsprechenden Publikum noch am ehesten zuzutrauen wäre?

Dieser auf den ersten Blick kuriosen, aber auch nachdenklich stimmenden Debut-Eskapade zum Trotz blieb es dabei: Das Stück hat sich als ›Buch mit sieben Siegeln‹ erwiesen. Von den Schwierigkeiten, die sich schon während des Probierens auftürmten, vermittelt Wedekind selbst in der Vorrede zu *Oaha* eine eindrucksvolle Momentaufnahme: »Bei der ersten Aufführung von ›Erdgeist‹ in München im Jahre 1898 betrachteten mich die Schauspieler mit aufrichtigem, herzlichem Bedauern als einen Verirrten, dem nicht mehr zu helfen ist. Als Mensch war ich ihnen nicht unsympathisch. Deshalb hielten sie sich auf den Proben rücksichtsvoll von mir fern, damit ich ihre Urteile, die sie über mein Stück austauschten, wenigstens nicht zu hören brauchte.«[12] Unter »Geheul, Gejohl«[13] ging die Münchner Premiere unter. Eine Breslauer Inszenierung »begrub die Komik meiner Arbeit«, schreibt Wedekind, »unter einer Sintflut von Lächerlichkeit«.[14] Schließlich mußte er sich damit zufrieden geben, wenn das Stück einmal »wie ein Handschuh auch umgekehrt noch leidlich Figur machte«.[15] Das Interesse blieb immer eine »Art Skandal Interesse«.[16] »Man hofft und hofft und hofft von einem Durchfall zum andern«,[17] war schließlich die niederschmetternde Devise. Selbst wenn durch die »Zaubermittel« einer Gertrud Eysoldt ein »Sieg« über das »spröde ungefüge Material des Stückes« zu verzeichnen war, mußte er gegen die »Wuth des Publikums«[18] durchgesetzt werden.

Die Werkgenese von den ersten Entwürfen (die sich allerdings nur in kleinen Resten erhalten haben) über die geschlos-

12 *Werke* (Anm. 4) Bd. 3, S. 355.
13 Frank Wedekind, *Gesammelte Briefe*, hrsg. von Fritz Strich, Bd. 1, München 1924, S. 315. (Zit. als: *Briefe*.)
14 *Werke* (Anm. 4) Bd. 3, S. 357.
15 Ebd., S. 358.
16 *Briefe* (Anm. 13) Bd. 1, S. 329.
17 Ebd., Bd. 2, S. 88.
18 Ebd., S. 94.

sene Handschrift mit diversen Überarbeitungsschichten hin
zu den verschiedenen Druckfassungen und deren späteren
Überarbeitungen bis hin zur ›Ausgabe letzter Hand‹ ist
nicht nur relativ kompliziert, sondern gewährt auch aufschlußreiche Einblicke in die Mikrostruktur des Textgefüges, in das szenen- und aktübergreifende Handlungsgeflecht, in die diffizile Webtechnik und Architektur der Gesamtorganisation.

Man hat Überlegungen angestellt, warum Wedekind die
handschriftlich überlieferte Urfassung, das »Buchdrama«[19],
das als fünfaktige klassische Tragödie angelegt ist, in zwei
Teile (*Erdgeist*, *Die Büchse der Pandora*) teilte. Zum einen:
weil der ursprüngliche 4. Akt in einem bordellartigen Edeletablissement spielt mit den »Jungfrauenaktien« als Zentrum,
der 5. in dessen schäbigster Variante (Lulu in einer elenden
Londoner Dachkammer mit ihren bizarren Kunden), und
weil das monströse Spiel schließlich in einem Lustmord
(d. i. Mordlust in der dialektischen Umkehrung) gipfelt,
Umstände, die dazu prädestiniert waren, den heftigsten
Widerstand der Sittenrichter auszulösen, so daß Wedekind
zunächst einmal die drei ersten, harmloseren Akte, um einen
vermehrt, unter dem Titel *Erdgeist* 1895 drucken ließ und zur
Aufführung brachte. Hinzu kommt ein zweiter Gesichtspunkt: Wer den bei der Teilung neu hinzugefügten 3. Akt des
Erdgeist etwas genauer betrachtet, dem kann nicht entgehen,
daß er dem tieferen Verständnis des 4. Aktes dient, und mit
dem neu hinzugefügten 1. Akt der *Büchse der Pandora* – in
der Stemmaübersicht sind beide durch einen Kreis hervorgehoben – verhält es sich bezüglich der beiden letzten Akte
nicht anders. Die später noch vorangestellten Prologe, in
denen Wedekind Erfahrungen aus der Aufführungspraxis
verständnisfördernd fruchtbar macht, tun in dieser Richtung

19 »Frank Wedekind: Die Büchse der Pandora. Eine Monstretragödie. Aus den
   Handschriften der Urfassung von 1892–94 transkribiert von Hartmut Vinçon«, in: *Theater heute*, 1988, H. 4, S. 42–57, und H. 5, S. 36–50.

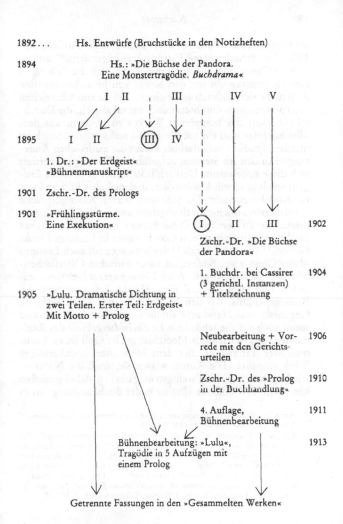

1892...   Hs. Entwürfe (Bruchstücke in den Notizheften)

1894   Hs.: »Die Büchse der Pandora.
Eine Monstertragödie. *Buchdrama*«

     I   II   III   IV   V

1895   I   II   (III)   IV

1. Dr.: »Der Erdgeist«
»Bühnenmanuskript«

1901   Zschr.-Dr. des Prologs

1901   »Frühlingsstürme.
Eine Exekution«   (I)   II   III   1902

                                           Zschr.-Dr. »Die Büchse
                                           der Pandora«

                                           1. Buchdr. bei Cassirer   1904
                                           (3 gerichtl. Instanzen)
                                           + Titelzeichnung

1905   »Lulu. Dramatische Dichtung in
zwei Teilen. Erster Teil: Erdgeist«
Mit Motto + Prolog

                                           Neubearbeitung + Vor-   1906
                                           rede mit den Gerichts-
                                           urteilen

                                           Zschr.-Dr. des »Prolog   1910
                                           in der Buchhandlung«

                                           4. Auflage,   1911
                                           Bühnenbearbeitung

     Bühnenbearbeitung: »Lulu«,   1913
Tragödie in 5 Aufzügen mit
einem Prolog

Getrennte Fassungen in den »Gesammelten Werken«

ein übriges, so auch das Vorwort zur *Büchse der Pandora* von 1906, die »Scharfrichter«-Fassung *Frühlingsstürme*[20] usw.

Aufs Ganze blickend kann man sagen, daß die Teilung in eine Doppeltragödie mit den beiden neu hinzukommenden Akten, die sich dadurch auszeichnen, daß sie von zahlreichen Interpretamenten durchsetzt sind, darauf abzielt, die Durchschaubarkeit des komplexen Werkes zu fördern, aus dem »Buchdrama« also ein auf der Bühne realisierbares Stück zu machen. Studiert man darüber hinaus die zahlreichen Änderungen in den im Stemma aufgeführten Fassungen, vertieft sich diese Erkenntnis. Und schließlich: der 1. Akt des *Erdgeist* spielt in einem Maleratelier, in dem Lulus Bild im Pierrot-Kostüm entsteht. Die scheinbar wirren Kunstgespräche verdienten es, buchstäblich abgehört und in allen Details ausgeleuchtet zu werden. Diese Szenen stehen in vielfacher direkter Parallelität zu den Conti-Szenen in Lessings *Emilia Galotti*.[21] Wie Wedekinds Maler Schwarz malt auch Lessings Maler Conti zwei Bilder: ein naturalistisches Oberflächenbild und ein Kunstwerk. Auch Lessing verrät hier (im paradoxen Bild vom Raphael ohne Hände, I,4) sein zentrales Kunstgeheimnis, das den Hauptakzent des *Kunstwerks* im Gegensatz zum *Handwerk* auf die *Geistigkeit* der Kunst und somit auch auf die schöpferische *Einbildungskraft* des Rezipienten legt. Wedekinds Medizinalrat Dr. Goll ist es, Lulus ominöser Tanzlehrer, der dem Maler den hochkarätigen Wink verpaßt: »Die Kunst, wissen Sie, muß die Natur so wiedergeben, daß man wenigstens g e i s t i g dabei genießen kann!« (S. 18). Und im »Prolog in der Buchhandlung« ist es

20 Frank Wedekind, »Frühlingsstürme. Eine Exekution«, in: *Neue Deutsche Rundschau (Freie Bühne)*, 13 (1902) S. 858.
21 Vgl. Hauke Stroszeck, »›Ein Bild, vor dem die Kunst verzweifeln muß.‹ Zur Gestaltung der Allegorie in Frank Wedekinds Lulu-Tragödie«, in: *Literatur und Theater im Wilhelminischen Zeitalter*, hrsg. von Hans-Peter Bayersdörfer, Otto Conrady, Helmut Schanze, Tübingen 1978. Vgl. hierzu auch: Erhard Weidl, »Lulu's Pierrot-Kostüm und die Lüftung eines zentralen Kunstgeheimnisses«, in: *editio II, Internationales Jahrbuch für Editionswissenschaft*, hrsg. von Winfried Woesler, Tübingen 1988, S. 90–110.

der »verschämte Autor« selbst, der mit Blick auf sein Publikum zu verstehen gibt:

> »Was schiert mich das Theater! Unsere kühne
> Tagtäglichkeit erreicht's bekanntlich nie.
> Das menschliche Gehirn sei meine Bühne,
> Mein Lieblingsregisseur die Phantasie.« (S. 106 f.)

*

Der 3., bei der Zweiteilung neu hinzugekommene Akt des *Erdgeist*, spielt in der Theatergarderobe. Auf der nicht sichtbaren Bühne wird Lulu als Tänzerin auftreten, zunächst in »antikem, fußfreiem, ärmellosem weißem Kleid mit rotem Saum, einen bunten Kranz im Haar, einen Korb voll Blumen in den Händen« (S. 57 f.), um »einem den letzten Funken Verstand zum Kopf« hinauszutanzen« (S. 60). Im Musical *My fair Lady* wurde das klassische Motiv mit triumphalem Erfolg dann restlos verkitscht. Die Zeit des kurzen Weges des Blumenmädchens aus der Garderobe ins Proszenium und von dort auf die imaginäre Bühne nutzt Wedekind in der Rolle Alwas zu einem kleinen Monolog (III,2), der hier in der Synopse von Erstdruck (1895, vollständiger Text) und pointiert verkürzter ›Fassung letzter Hand‹ (1913 – hier ist der in eckigen Klammern stehende Text gestrichen) wiedergegeben ist:

> »ALWA *(allein).* Über die ließe sich freilich ein interessanteres Stück schreiben. [– Man macht kein Geld damit. Das Publikum sieht es sich einmal an, dann flüchtet es hierher zurück, um sich an Irrlichtern und Walzergedudel zu recreiren. – Irrlicht! – Das wäre ein Titel.] *(Setzt sich links, nimmt sein Notizbuch vor und notiert. Aufblickend.)* Erster Akt: Dr. Goll. Schon faul! [Da wird das ganze Theater schon rappelköpfig.] Ich kann den Dr. Goll aus dem Fegefeuer zitieren, oder wo er seine Orgien büßt, man wird m i c h für seine Sünden verantwortlich machen. – *(Langanhaltendes, stark gedämpftes Klatschen und Bravorufen wird von außen hörbar.)* –

Das tobt, wie in der Menagerie, wenn das Futter vor dem
Käfig erscheint. – Zweiter Akt: Walter Schwarz. Noch
unmöglicher! [Wenn wir noch ein Damenpublikum hätten, das anspruchsvoll genug wäre, um sich am Spiel um
Leib und Leben zu erfreuen: ›Wie viel hast du heute
umgebracht, mein Herzens-Heinrich? – Gebt meinem
Rappen zu saufen, antwortet er, und eine halbe Stunde
später: So Stücker vierzehn. Bagatell! Bagatell!‹ – Die
Todesszene!] Wie die Seelen die letzte Hülle abstreifen
im Licht solcher Blitzschläge! – [wie jetzt ihr Körper vor
dem Lampenlicht! – Wenn ich an meinen Vater denke,
wie er in seinen Grundvesten erschüttert war. Er hat sich
nicht aus dem Sattel werfen lassen. – –] Dritter Akt? –
Sollte es wirklich so fortgehen?! –« (S. 60 f.).

Vorweg ist auf eine bühnentechnische Raffinesse aufmerksam
zu machen, die auf den ersten Blick entgehen könnte: Das
»langanhaltende«, zunächst noch »stark gedämpfte Klatschen und Bravorufen«, das von »außen« hörbar ist und weni-
ge Minuten später in »dröhnende Beifallstürme« (S. 63) über-
gehen wird, ist als Begrüßung des »Blumenmädchens« Lulu
durch das Publikum auf der unsichtbaren Bühne zu begreifen, gleichzeitig ist es aber auch auf der realen Bühne (Theatergarderobe) ironisch vor allem auf den zuletzt von Alwa
gesprochenen Satz zu beziehen (»Ich kann den Dr. Goll aus
dem Fegefeuer zitieren, oder wo er seine Orgien büßt, man
wird m i c h für seine Sünden verantwortlich machen. –«):
Dem tanzenden »Blumenmädchen« wird akklamiert, gleichzeitig sei aber auch der Autor des 1. Aktes (nämlich Wedekind selbst als Alwa) für die »Sünden« des Tanzmeisters Dr.
Goll »verantwortlich« zu machen, der Lulu ja das Tanzen
lehrte; selbst dann, wenn der Autor seine Tanzmeisterfigur
im »Fegefeuer« für ihre »Orgien« büßen ließe, wäre er, der
Autor, dafür haftbar zu machen. Durch den Kunstgriff der
Aufteilung der Bühne in eine reale und eine imaginäre wird
somit die schizophrene Reaktion des realen Publikums, das

den Applaus des imaginären als den eigenen zu erkennen hätte, gegenüber Lulus Tanzkunst einerseits, der die »dröhnenden Beifallstürme« gelten, und andererseits gegenüber ihrer Ausbildung dahin, ja ihrer dramatischen Gestaltung, offenbar.

Lulu weist auf Alwas Geschicklichkeit hin, mit der er seine Darsteller »aus(zu)nützen« verstehe: »Sie enthüllen mich gradatim« (S. 58). Ihre Fähigkeit, sich umzukleiden, in verschiedene Rollen zu schlüpfen, wird überhaupt häufig genug hervorgehoben, und so bedarf es eigentlich nicht mehr des Rückgriffs auf den *Erdgeist*-Druck von 1895 (»Wie die Seelen die letzte Hülle abstreifen im Licht solcher Blitzschläge – wie jetzt ihr Körper vor dem Lampenlicht! –«), um zu erkennen, daß im 3. Akt Lulus Tanznummern »Blumenmädchen«, »Dancinggirl, Ballerina, Königin der Nacht, Ariel und Lascaris …« (S. 63) in ihrer Nacktheit gipfeln. Dies ist vermutlich auch der Grund, weshalb Wedekind für die entscheidenden Auftritte seiner Tänzerin, mit denen der Zusammenbruch des »Gewaltmenschen« Dr. Schön vorbereitet wird, eine imaginäre Bühne einführen mußte. Eben dann hätte sich über sie ein »interessanteres Stück« schreiben lassen, wie es zu Beginn des Monologs heißt, wenn die Bühnen der Wedekindzeit Lulus Nacktheit zu ertragen fähig gewesen wären.

Ein weiteres: Der Tierbändiger-Prolog wurde erst zur zehnten Aufführung der ersten Inszenierung am 24. Juni 1898 geschrieben, als unmittelbares Ergebnis konkreter Theaterarbeit ganz offensichtlich, um den Verständnisschwierigkeiten entgegenzuwirken. Er ist zu interpretieren im Zusammenhang der zahlreichen kunsttheoretischen Erörterungen und Hinweise, die das ganze Stück durchziehen, deren systematische Würdigung längst überfällig ist. Dieser *Erdgeist*-Prolog ist hier im zitierten Monolog Alwas im Druck von 1895 im Keim bereits vorgeprägt (»Das tobt, wie in der Menagerie, wenn das Futter vor dem Käfig erscheint«, S. 61 und S. 192) und wird dann später also erst entfaltet. Es ist klar, daß im Vergleich[22] das »Futter« mit dem Erscheinen Lulus auf der

22 Vgl. hierzu Stroszeck (Anm. 21) S. 222.

Bühne zu identifizieren ist, der »Käfig« mit dem Zuschauerraum, in dem das durch die Kulturentwicklung erotisch-sexuell ›kultivierte‹, ›dressierte‹ Raubtier Publikum sitzt, und die »Menagerie« mit jener Anstalt, die Wedekind mit Schiller als »moralische« begriffen hat, nämlich das Theater. Wenn der Tierbändiger mit Hetzpeitsche und Revolver in seinem Prolog ankündigt:

»Das wahre Tier, das wilde, schöne Tier,
Das – meine Damen! – sehn Sie nur bei mir« (S. 8),

im Kontrast zu den »Haustieren« in den »Lust- und Trauerspielen« Hauptmannscher Provenienz, so ist dieses »Tier« fraglos Lulu, das der Dichter ausdrücklich den »Damen« im Zuschauerraum empfiehlt, die offenbar nicht mehr das »Damenpublikum« der Shakespeare-Zeit repräsentieren. Damit wird auch das Shakespeare-Zitat aus *Heinrich IV.* (Tl. 1, II,4) verständlich (»Wie viel hast du heute umgebracht, mein Herzens-Heinrich …«), das Wedekind im Erstdruck seines Spiels um Leben und Tod hier eingefügt hatte, später aber, wohl um den Anspielungsreichtum einzudämmen und die Übersichtlichkeit zu wahren, neben zahlreichen anderen Textpartien wieder gestrichen hat. Im Gegensatz zum »wahren«, »schönen« Tier, wobei das sogenannte ›Gute‹ der klassischen Trias aus Demonstrationszwecken zum »wilden« zurückgestaltet wird, damit das Publikum im ironisierten Kontrast dazu sich selbst erkenne, bittet der Tierbändiger das eigentliche »Raubtier«, also das ›moralisch gesittete‹ Publikum, in seine Menagerie, indem er – interpunktionell mit Nachdruck wie immer in vergleichbaren Fällen – fragt und antwortet in eins:

»Wißt ihr den Namen, den dies Raubtier führt? – –
Verehrtes Publikum – – Hereinspaziert!!« (S. 10.)

Am augenfälligsten aber ist im zitierten Monolog Alwas der Umstand, daß Wedekind, um den Todesfall Nummer drei

einzuleiten, gleichsam in Zeitrafferperspektive – das »Notizbuch« vornehmend und notierend gerade so, als wäre dies als
Wink mit dem Zaunpfahl an die Adresse der Theaterkritiker
gemünzt – den Blick auf die Todesfälle konzentriert, mit
denen auch die ersten drei Akte der ursprünglichen »Monstertragödie« enden, denn sie bilden schließlich gleichsam als
Moritatenakkumulation das spektakuläre Rückgrat der dramatischen Demonstrationen: Lulus Ehemann Nummer eins,
den »steinalten, wackligen Knirps« und »Schmerbauch«
(S. 12) Dr. Goll, trifft, während er die abgeschlossene Ate-
liertür einrennt, hinter der der Maler sein Modell zu überwäl-
tigen trachtet, der Schlag: Nicht weil er fürchtet, seine entzückende Gattin zu verlieren; nicht weil er fürchtet und
bangt, sein teures Liebes-, sondern sein Finanz-Objekt zu
verlieren, das bricht dem »B ä r e n , der von Anbeginn gefräßig«, (S. 8) das Herz.
Der Ehemann Nummer zwei, der Maler Schwarz, endet,
indem er sich – über Lulus Wesen und Herkunft aufgeklärt –
mit einem Rasiermesser selbst ›guillotiniert‹; und indem Alwa
die Frage stellt: »Sollte es wirklich so fortgehen?! –«, richtet
er gezielt das Augenmerk auf die dritte Leiche, die Dr. Schön
sein wird. Dieser, der sie erziehen ließ, der ihre »ganze
Jugend gehabt« hat (S. 90), die nichts wäre ohne ihn, ihr
›Schöpfer‹, der vorgibt zu wissen, wo der »Engel« bei ihr »zu
Ende ist und der Teufel beginnt«, er, der Dr. Schön heißt,
verrät die entscheidende Devise: »Wenn ich die Welt nehme,
wie sie geschaffen ist, so trägt der Schöpfer die Verantwortung, nicht ich« (S. 71). Als der ›Schöpfer‹ Dr. Schön, der so
viel von seinem Leben in sie »hineingelebt« (S. 90) hat, mit
einem Revolver sie zwingen will, die »Welt« von sich selbst
zu »befreien« (S. 89), geht wie zufällig der Revolver los und
trifft den »eingefleischten Teufel« (S. 73) in den Rücken. Die
vierte Leiche dann in der *Büchse der Pandora* wird der Athlet
Rodrigo Quast sein, nach Wedekind die Verkörperung des
»ungebildeten Menschen, [...] gegen dessen gellendes
Hohngelächter die Tendenz des Stückes gerichtet ist«

(S. 97 f.). Schigolch besorgt es ihm, indem er ihn im Wasser verschwinden läßt, aus dem Lulu kommt, und schließlich erliegen die lesbische Gräfin Geschwitz und die »Unschuld« Jacks Messer.

Wer die Lulu-Tragödie zu erschließen trachtet, muß die Todesumstände und Todesursachen der wichtigsten Leichen analysieren. Diesen Zugriff auf das kulturkritische Hauptwerk intendiert im Monolog Alwas Wedekind selbst.

*

Um in diesem Rahmen wenigstens einen Todesfall als signifikantes Beispiel analytisch zu diagnostizieren, sei im folgenden das Augenmerk auf den gräßlichen Selbstmord des Malers gerichtet, wobei vorab schon vermutet werden darf, daß die Todesart von Wedekind mit listigem Hintersinn gewählt sein dürfte. Woran stirbt der Maler?

Lulus erster Ehemann liegt tot auf dem Fußboden des Ateliers (*Erdgeist* I,8). In dieser Situation fleht der Maler zum Himmel um »Kraft« und die »seelische Freiheit, nur ein klein wenig glücklich zu sein«, wovor er gleichzeitig »höllische Angst« (S. 30) bekundet. Wedekind zaubert in der Pause – und zu Beginn des 2. Aktes ist Schwarz mit Lulu verheiratet. Nun auf einmal weiß er sich vor seinem »Glück kaum zu retten«. Er zittert, die Post in Empfang nehmend, vor »Neuigkeiten« und fürchtet »jeden Tag, die Welt könnte untergehen« (S. 33). Von hier schlägt der ironisch getönte Text den Bogen zu Alwas »sehr aufgeregt« vorgebrachter »Neuigkeit«, »in Paris« sei »Revolution ausgebrochen« (S. 51). – »50 000 Mark« für sein Gemälde mit Lulu als »Samaquecatänzerin« bietet dem Maler, ehedem Hungerkünstler, »Sedelmeier in Paris« (S. 33). Für den Bettler Schigolch, Lulus mythologischen Vater, hat er »kein Kleingeld« (S. 35). Und das für den Maler fatale Aufklärungsgespräch (II,4) fundiert Schön mit dem stereotypen Basso ostinato: »Du hast eine halbe Million geheiratet . . .« (S. 45). Der Maler liebt seine Gattin Lulu, ohne sie zu kennen, was Schön »fatal« findet und eine »unüberbrückbare Kluft« (II,3, S. 43) nennt. Demzufolge kann er auf der Ebene seines Bewußtseins nur seine eigenen Vorstellungen, seine eigenen Vorurteile lieben, die er in Lulu hineinprojiziert, – genauer: sich selbst in ihr, weshalb er sich selbst auch »vollständig abhanden gekommen« (S. 35) ist.

> »LULU. Er kennt mich nicht, aber er liebt mich! Hätte er nur eine annähernd richtige Vorstellung von mir, er würde mir einen Stein an den Hals binden und mich im Meer versenken, wo es am tiefsten ist!« (S. 43.)

Die biblische Anspielung (Mark. 9,42) spiegelt die abgründige Verlorenheit dieses »l e g i t i m e n Verhältnisses« (S. 42), in das Wedekind experimentell Schwarz mit Lulu geraten ließ. Ein Mann, der »nie in seinem Leben das Bedürfnis gefühlt hat, mit Frauen zu verkehren« (S. 41), der »sich zuviel mit sich selbst beschäftigt« (S. 52) hat, wie Schön konstatiert, der »Angst der Frauen« (S. 42) hat, wie Lulu versichert, kann auch sich selbst nicht kennengelernt haben. Hier liegt die Wurzel seines Fiaskos.

> »LULU. [...] Er pocht darauf, daß er den Heiratskontrakt in der Tasche hat. Die Mühe ist überstanden. Jetzt kann man sich geben und sich gehen lassen, wie zu Hause. Er ist kein Kindergemüt! Er ist banal. Er hat keine Erziehung. Er sieht nichts. Er sieht mich nicht und sich nicht. Er ist blind, blind, blind ...
> SCHÖN *(halb für sich)*. Wenn dem die Augen aufgehen!!
> LULU. Öffnen Sie ihm die Augen! Ich verkomme. Ich vernachlässige mich. Er kennt mich gar nicht. Was bin ich ihm. Er nennt mich Schätzchen und kleines Teufelchen. Er würde jeder Klavierlehrerin das gleiche sagen. Er erhebt keine Pretensionen. Alles ist ihm recht« (S. 41).

Anhand eines extrem zugespitzten Falles skizziert Wedekind hier in der Figur des Malers die Misere der bürgerlichen Ehe und ihre moralisch gepriesene Voraussetzung der erotischsexuellen Ahnungslosigkeit. Ob nun Lulu/Schwarz oder Dr.

Schön/Charlotte Marie Adelaide von Zarnikow, – beide Liebes- und Lebenskonstellationen, die zur Erhellung der Situation so gefügt sind, bleiben unter greller Beleuchtung zum Scheitern verurteilt, wobei die Kombination der beiden Unwissenden und Unerfahrenen (Schwarz und Adelaide) erst gar nicht durchgespielt wird, da sie, wie es im *Marquis von Keith* heißt, aus der Sicht des Marquis nur den »allergewöhnlichsten Liebesquark« ergäbe. Denn Mollys Ideal wie das des Malers ist das ›Bückeburger‹ der »kleinbürgerlichen Welt, in der man, Stirn gegen Stirn geschmiedet, sich duckt und schuftet und sich liebt! Kein freier Blick, kein freier Atemzug! Nichts als Liebe! Möglichst viel und von der gewöhnlichsten Sorte!«[23] – Mit anderen Worten: die Liebe der »an die Kette gelegten« (S. 41)

> »Haustiere, die so wohlgesittet fühlen,
> An blasser Pflanzenkost ihr Mütchen kühlen
> Und schwelgen in behaglichem Geplärr,
> Wie jene andern – unten im Parterre« (S. 8).

»Beklommen«, »verwirrt«, »mehr und mehr in sich zusammenbrechend«, »wie von einer entsetzlichen Ahnung befallen«, »ganz wirr« und schließlich »geistesabwesend« und »verzweifelt« (S. 45–49) erfährt der »Stockfisch«, wer seine Gattin Lulu eigentlich ist. Er, dem Lulu, als beide den Ehekontrakt unterzeichneten, noch weismachen konnte, sie habe noch nie geliebt, muß nun hinnehmen, daß Schön sie »etwa seit ihrem zwölften Jahr« kennt, und Lulu bereits in diesem Alter »jeden Abend zwischen zwölf und zwei« – nicht etwa irgendwo »barfuß« (in der Handschrift heißt es noch zusätzlich »ohne Unterrock«[24]–, sondern vor dem »Alhambra-Café« – »Blumen verkaufte« (S. 46), was nichts anderes besagt, als daß sie der kindlichen Prostitution nachging, weshalb auch bei ihr »unmöglich mit den Begriffen der bürger-

---

23 *Werke* (Anm. 4) Bd. 1, S. 449 und 508.
24 Vgl. Anm. 19, *Theater heute*, S. 51, Sp. 2.

lichen Gesellschaft« (S. 48) gerechnet werden kann, die Schwarz verkörpert. Dies und die folgenden Enthüllungen lassen den Maler zusammenbrechen.

Von entscheidender Bedeutung aber ist dieses: Ohne zu wissen, mit wem er »seit sechs Monaten [. . .] in allen Himmeln« schwebte, schuf er sich als »Künstler« einen »Namen« und brauchte sich »keinen Wunsch zu versagen«, weil er eine Frau hatte, »um deren Vorzüge die Welt ihn beneidet« (S. 45). Als die Erschütterung seiner Illusionen einsetzt, hält ihm Schön noch »mit Nachdruck« entgegen: »Kein ›O Gott‹!! An dem Glück, das du gekostet, kann nichts etwas ändern. Du überschätzest dich gegen besseres Wissen« (S. 47). Dieses »bessere Wissen«, das Schön im Auge hat, ist verbürgt durch die »gekostete« Glücks*erfahrung* mit Lulu, an der – in diese Richtung zielt Wedekind ohne jeden Zweifel – der Maler seine bürgerlichen Moralbegriffe zu überprüfen und zu korrigieren hätte.

Schwarz schließt sich nach dieser Aufklärungsaktion in einem Nebenzimmer ein, das Alwa, als darin »fürchterliches Stöhnen« hörbar wird, mit einem Küchenbeil – er »stößt es zwischen Pfosten und Türschloß« (S. 51) – aufschlägt, und in diesem Nebenzimmer findet man den Ehemann Nummer zwei, der sich mit einem Rasiermesser den Hals durchgeschnitten hat, sich also gleichsam ›guillotinierte‹.

Wedekind hat in den Erläuterungen seiner Stücke über den ersten Teil der Lulu-Tragödie gesagt, es sei ihm um die Darstellung der »Donquichoterie des menschlich Bewußten« gegangen: »Ich hatte das menschlich Bewußte, das sich selbst immer so maßlos überschätzt, am menschlich Unbewußten scheitern lassen wollen«![25] Und an anderer Stelle heißt es: »Statt des Titels ›Erdgeist‹ hätte ich geradesogut ›Realpsychologie‹ schreiben können, in ähnlichem Sinn wie ›Realpolitik‹«.[26] Realpsychologie? – Realpolitik? – Auf den hier zur Debatte stehenden Fall bezogen kann dies nur heißen: So-

25 *Werke* (Anm. 4) Bd. 3, S. 358.
26 Ebd., S. 340.

lange dieser Ehemann Lulus nicht wußte, daß er mit der gleichsam schönsten und bezauberndsten ›Dirne‹ der Weltgeschichte (Eva, Nelly-Helena, Mignon, Lulu) verheiratet ist, schwelgte er in berauschendem Liebesglück und überwältigendem Berufserfolg. Als er dann erfahren muß, wem er in Wahrheit Glück und Erfolg verdankt, bricht sein bürgerlich geprägtes Moralbewußtsein zusammen, das an die ethisch-moralische Vorstellung und Wertschätzung fixiert ist, er sei mit einem reinen, unschuldigen, jungfräulichen »Engelskind« (S. 12) verheiratet. An dem Glück, das er jedoch realiter mit dieser ›Dirne‹ gekostet hat, kann niemand und nichts etwas ändern, hatte ihm Schön kurz vor seinem Fiasko noch in aller Klarheit und Schärfe zu bedenken gegeben. Statt seine bürgerlichen Moralvorstellungen bezüglich der ›verdammungswürdigsten Hure‹ aufgrund des mit ihr gekosteten Glückes zu revidieren, flüchtet der Maler, der Schwarz heißt, den Lulu »blind, blind, blind« nennt und den Schön dann am Ende einen Narren heißt, fassungslos in eine *Form* des Selbstmords, in der er durch die Trennung des Kopfes vom Körper die furchtbare Dissoziation beider Sphären (der bewußten, die der Kopf repräsentiert, und der unbewußten, die der Körper repräsentiert) ebenso grauenvoll wie anschaulich besiegeln darf. Indem Schön im vorausgehenden Gespräch mit Lulu »halb für sich« antizipieren darf: »Wenn dem die Augen aufgehen!!« (S. 41), und Alwa dann, während Schwarz verblutet, fragend abrundet: »Es ist ihm wohl ein Licht aufgegangen?« (S. 52), könnte klar werden, was Wedekind unter Galgenhumor begriffen wissen möchte, denn dem Maler ist das Licht nur zur Hälfte aufgegangen. Er hätte sonst die richtige Konsequenz gezogen. (In der Fassung *Frühlingsstürme. Eine Exekution* verrät Wedekind den nach seiner Ansicht richtigen Weg. Hier exekutiert der Maler seine in Wahrheit amoralischen bürgerlichen Wahnvorstellungen, »umfaßt« am Ende Lulu »überwältigt« – und seine letzten Worte lauten: »O Weib – O Glück!«[27].)

---

27 »Frühlingsstürme« (Anm. 20) S. 858.

Während Schwarz im *Erdgeist* seine bürgerliche Seele aus-
stöhnt, betritt Alwa in Szene II,6 »sehr aufgeregt« die Bühne
mit der gewiß nicht ›kleinen Neuigkeit‹: »In Paris ist Revolution ausgebrochen« (S. 51). In seinem Regiebuch vertieft
Wedekind, wiederum als lehrreiche Replik auf die unzurei-
chende Aufführungspraxis, die auf der Bühne zu vermit-
telnde Suggestionskraft der Meldung noch um ein Beträchtli-
ches durch den geforderten Hinweis:

> »Alwa steht bei seinem Eintreten vollkommen unter dem
> Eindruck der politischen Nachricht, sodaß er für die Situa-
> tion auf der Bühne wenig Fassungsgabe übrig hat und eine
> intensive Verlegenheit bei ihm entsteht. Er hält die Mitte
> der Bühne«.[28]

> »SCHÖN. In Paris ist Revolution ausgebrochen?
> ALWA. Auf der Redaktion rennen sie sich den Kopf gegen
> die Wand. Keiner weiß, was er schreiben soll« (S. 51).

Wiederum ein Wink für die Theaterkritiker und damit die
Rezipienten des Stückes? Welcher Sinn läßt sich dieser vollständig überraschenden Meldung abgewinnen, falls sie einmal nicht in einer Inszenierung mit dem Rotstift bewältigt
werden sollte?

In der Handschrift drängt Alwa schon im ersten Akt mit
dem Wort »Allons ...«[29], mit dem bekanntlich die Marseil-
laise beginnt, zur Generalprobe seines Balletts (I,4). Und
wenn in der Handschrift noch statt des Verweises auf die
Französische Revolution die »Neuigkeit« lautet: »Der – der
Reichstag ist aufgelöst ...«[30], so suggeriert auch diese Meldung, auf deutsche Verhältnisse bezogen, eine einschnei-
dende politische Umwälzung, die deswegen mit dem Suizid
des Malers zusammenhängen muß, weil sie in dessen unmit-
telbarem Kontext erfolgt. Und wenn Alwa die gräßliche

28 Vgl. Anm. 3, Regiebuch, S. 20.
29 Vgl. Anm. 19, *Theater heute*, S. 44, Sp. 3.
30 Ebd., S. 51, Sp. 3.

›Selbstguillotinierung‹ des Malers zum Schluß der Szene –
wiederum in der Handschrift – mit den Worten: »Er war [um
ein volles Jahrhundert] hinter seiner Zeit zurück« kommen-
tiert, rückt Wedekind ganz offensichtlich die Liquidation des
bürgerlichen Bewußtseins vom Schlage des Malers Schwarz
global in Parallele zu einem weltgeschichtlichen Ereignis von
der Tragweite der Französischen Revolution.

Aus dieser Sicht vermag auch die eingangs erwähnte Leip-
ziger Uraufführung des *Erdgeist* – Lulu als »geißelschwingende Proletarierin« – an Plausibilität zu gewinnen in dem
Sinn, daß von ihr und ihresgleichen potentiell Wirkungen
auszugehen hätten, die auf der Basis der *Sexual-Politik* zu
revolutionären, gesellschaftlichen Umwälzungen führen.
Indes: Am Ende des *Erdgeist* wird bereits erkennbar, daß
die Geschichte der Lulu nach ihrem Aufstieg als Tragödie
enden wird. Lulu ist nicht durchwegs als »Tigerin« angelegt.
Die »süße Unschuld« wird in dieser mit welthistorischen
Akzenten versehenen Tragödie schließlich von Jack zur
Strecke gebracht, der die extrem gesteigerte maskuline
Quintessenz der sie umgebenden Männerfiguren verkörpert.
Im *Totentanz* (1905), später *Tod und Teufel*) darf Casti
Piani, eine Figur, die aus der *Büchse der Pandora* stammt,
Alwas Revolutionsmeldung folgendermaßen mit Hinter-
grund versehen:

»Zeit meines Lebens liebte ich Tigerinnen. Bei Hündinnen
war ich immer ein Stück Holz. Mein Trost ist nur der, daß die
Ehe, die Sie so begeistert preisen und für die die Hündinnen
gezüchtet werden, eine K u l t u r e i n r i c h t u n g ist. Kultur-
einrichtungen entstehen, um überwunden zu werden. Die
Menschheit wird die Ehe so gut überwinden, wie sie die
Sklaverei überwunden hat. Der f r e i e L i e b e s m a r k t, auf
dem die Tigerin ihre Triumphe feiert, gründet sich auf ein
u r e w i g e s N a t u r g e s e t z d e r u n a b ä n d e r l i c h e n
S c h ö p f u n g. Und wie stolz steht das Weib in der Welt,
sobald es das Recht erkämpft hat, sich, ohne gebrandmarkt

zu werden, zum höchsten Preis, den der Mann ihm bietet, verkaufen zu können! [...] Welch herrlichen, lebensfrischen Klang dann das Wort F r e u d e n m ä d c h e n erhält! In der Geschichte des Paradieses steht, daß der Himmel dem Weib die Macht der Verführung verlieh. Das Weib verführt, wen es will. Das Weib verführt, wann es will. Diese höllische Gefahr für unsere heilige Kultur bekämpft die bürgerliche Gesellschaft damit, daß sie das Weib in künstlicher Geistesumnachtung erzieht. Das heranwachsende Weib darf nicht wissen, was e i n W e i b z u s e i n bedeutet. Alle Staatsverfassungen könnten darüber den Hals brechen!«[31]

*

Mit Lulu hat Wedekind die »U r g e s t a l t d e s W e i b e s« (S. 9) geschaffen. Diese ist »unmöglich mit den Begriffen der bürgerlichen Gesellschaft« zu bewerten, und deswegen ist auch der Maler Schwarz, der die bürgerlichen Moralbegriffe verkörpert (beispielsweise die Wertschätzung der Virginität, die nach Wedekinds Ansicht in die »Zeit der Hexenprozesse und der Alchimie«[32] gehört), »nicht derjenige, um über sie zu Gericht zu sitzen« (S. 48). »Selbstverständlichkeit, Ursprünglichkeit, Kindlichkeit« hatten Wedekind »bei der Zeichnung der weiblichen Hauptfigur als maßgebliche Begriffe vorgeschwebt«.[33] Ihm kam es »bei der Darstellung auf Ausschaltung all der Begriffe an, die logisch unhaltbar sind wie: Liebe, Treue, Dankbarkeit«.[34] Lulus positiv zu verstehende »Schamlosigkeit« (S. 69) gründet in ihrer Freiheit von bürgerlicher Moral, und wenn Wedekind sie auch als »primitive Frauennatur«[35] bezeichnet, kann er mit »primitiv« nur natürlich gemeint haben. Diese »süße Unschuld« (S. 10) konnten nur jene Interpreten als femme fatale mißverstehen,

31 *Werke* (Anm. 4) Bd. 1, S. 677 f.
32 Ebd., S. 637.
33 Werke, Bd. 3, S. 358.
34 Ebd., S. 340.
35 Ebd., S. 358

die vermutlich immer noch die Moralbegriffe des Malers vertreten, gegen die die Tendenz der Tragödie gerichtet ist. Wie wenig Lulu sich zur Hure – eine Kreation der bürgerlichen Moral – eignet, zeigt das Verhandlungsergebnis mit Jack spätestens; und Schigolch bleibt es vorbehalten, in der grausigen Schlußpartie an das Hohelied mit den unmißverständlichen Worten zu erinnern: »Die versteht die Sache nicht. Die kann von der Liebe nicht leben, weil ihr Leben die Liebe ist« (S. 173). Die Kreuzigung findet symbolisch am Ende nur mit ihrem Bild statt, – mit Alwas »Stiefelabsatz« (S. 168). Realiter greift Wedekind die zeitgemäßere Variation auf, indem (in der ursprünglichen handschriftlichen Fassung) der Bauchaufschlitzer die Hinrichtung der Unschuld als Exstirpation ihres Geschlechts vollzieht.

Wedekinds Kunstfigur Lulu erinnert in vielen Zügen – in einer charakteristischen Modifikation natürlich – an ein anderes berühmt gewordenes Findelkind von rätselhafter Herkunft, dessen Reinheit und Unschuld gerühmt und gepriesen wurde. Zeichnet Wedekind die »U r g e s t a l t d e s W e i b e s« experimentell als eine Art Caspar Hauser der weiblichen Sexualität mit mythologischem Hintergrund, um die sie umkreisenden Männerfiguren von Dr. Goll bis Jack sich zur Kenntlichkeit entlarven zu lassen? –

Mit *Franziska, Ein modernes Mysterium in fünf Akten* hat Wedekind später experimentell eine viel radikalere Geschlechtsumwandlung mit emanzipatorischem Akzent vollzogen, indem er Faust in eine Faustine verwandelte: Franziska (= Faustine) befindet sich im Disput mit dem Schauspieler Breitenbach, dem Zeitungskorrespondenten William Fahrstuhl und dem Sternenlenker Veit Kunz, der sich als

> »Versicherungsbeamter, Sklavenhalter,
> Gesangsmagister, Kuppler, Diplomat,
> Hanswurst, Schriftsteller, Schauspielakrobat,
> Marktschreier, Bräutigam noch in meinem Alter,

Erpresser, Heiratsschwindler, Bauernfänger,
Revolverjournalist und Bänkelsänger«[36]

gebärdet. Just ihm fällt plötzlich ein »Gleichnis dafür ein,
worin denn eigentlich die Bedeutung aller Kunst besteht«.
Und da heißt es weiter:

»BREITENBACH. Nun, verehrter Meister? Ich bin aufs
    äußerste gespannt!
FAHRSTUHL. Einen Augenblick! *(In seinem Notizbuch blät-*
    ternd.) Dazu brauche ich eine neue Seite. Meine Zeitung
    druckt ein Feuilleton darüber.
VEIT KUNZ. Kunst ist der Spiegel, in dem der Mensch seine
    Lebensfreude betrachtet. Denn solange ihm das Leben
    nur Unannehmlichkeiten bringt, hat er keine Zeit und
    keine Lust, in den Spiegel zu sehen.
FAHRSTUHL *(schreibend.)* Das stimmt. Davon kann ich ein
    Liedchen singen.
FRANZISKA. Und weiter!
VEIT KUNZ. Nun wirkt aber der Spiegel belebend und anre-
    gend auf den zurück, der sich darin spiegelt, da der
    Glückliche nicht nur die Freude, die er selber empfindet,
    sondern obendrein auch den Anblick des Spiegelbildes
    seiner Freude genießt. Dadurch wird nun aber auch das
    Spiegelbild wieder um ebensoviel belebter und angereg-
    ter. Und so feuern und spornen sich die beiden, Mensch
    und Spiegelbild, gegenseitig zu immer wilderem Genie-
    ßen an, bis ...
BREITENBACH. Bis der Mensch seinem eigenen Spiegelbild
    ins Gesicht speien möchte.
FRANZISKA. Oder bis er vor seinem Spiegelbild behaglich
    einschläft.
FAHRSTUHL. Oder bis die hohe Obrigkeit kommt und
    den Spiegel in tausend Scherben schlägt! Punktum!
    Schluß!«[37]

36 *Franziska, Ein modernes Mysterium in fünf Akten*, München ³1912, S. 157.
37 Ebd., S. 144 f.

Vor Wedekinds Kunst-Spiegelbild ist niemand behaglich
eingeschlafen. Fahrstuhls Erklärung ist hinsichtlich der
Büchse der Pandora Wirklichkeit gewesen. Und Breitenbachs
Diktum hinsichtlich des Publikums hat unverminderte Gül-
tigkeit bis heute für *alle Männerfiguren*, die in Lulus
Gesichtskreis treten.

> »Denn erstes Grundgesetz seit frühster Zeit
> In jeder Kunst war S e l b s t v e r s t ä n d l i c h k e i t !«
> (S. 9) –

im Sinne der sokratischen Weisheit: »Erkenne dich selbst.«

Inhalt

Lulu

Erdgeist 3
    Prolog 7

Die Büchse der Pandora 93
    Vorwort 95
    Prolog in der Buchhandlung 103

Editorische Notiz 181
Nachwort 183